Français 3

Campanule et Filament messagers

recueil de textes
1re partie

julien biron
claude boulay
denis lemay
georges pelletier

auteurs

claude boulay
julien biron
denis lemay
georges pelletier

conception graphique

chapitres 1, 3, 4 et 5 **manon gauthier**
chapitre 2 **doris barrette**
chapitre 6 **christine hone**

Dépôt légal 3e trimestre 1986
Bibliothèque nationale du Québec
Bibliothèque nationale du Canada

ISBN-2-7608-5108-7
Imprimé au Canada

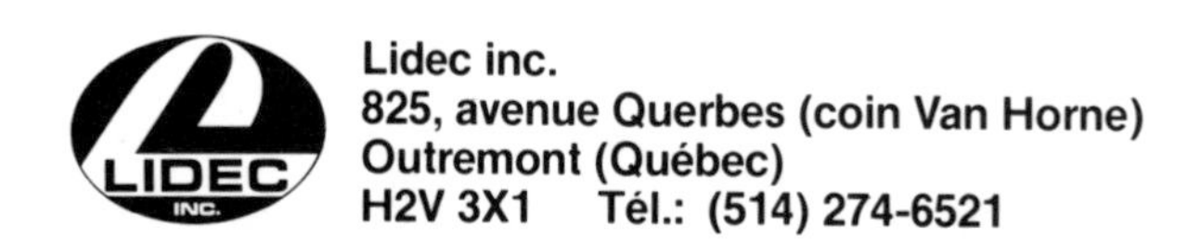

Lidec inc.
825, avenue Querbes (coin Van Horne)
Outremont (Québec)
H2V 3X1 Tél.: (514) 274-6521

TABLE DES MATIÈRES

La pêche à la ligne
Mes vacances à la maison ... 1
Sous la tente ... 2
Je me suis égaré ... 3
À la pêche ... 4
Premier cas ... 5
Deuxième cas ... 6
Troisième cas ... 7
Tableau pour la pêche sportive ... 8
Règlements de la pêche à la ligne ... 9
Dans les sentiers ... 10
Trois groupes en forêt ... 11
Règlements de la circulation en forêt ... 12
L'équipement pour la pêche à la ligne ... 13
Sortes de pêches ... 16
Sortes de poissons ... 17

Au feu!
Aide-moi ... 20
Les imprudences de Filament ... 21

Les animaux de nos bois
Je l'ai eue ... 27
Anisette, la mouffette ... 28
Bougon, l'ours noir ... 30
Fripon, l'écureuil roux ... 32
Chip, le tamias rayé ... 34
Tiki, le raton laveur ... 36
Toudou, le porc-épic ... 38
Peste, la marmotte ... 40
Éclair, le lièvre ... 42

Des gars, des filles
Tu peux pleurer, Filament ... 44
Campanule, un garçon manqué? ... 48
Je joue au hockey ... 52
Les travaux domestiques ... 53

L'ancien temps
L'ancien temps ... 54
Catalogue 1925 ... 65
Les Fêtes, autrefois et ailleurs ... 74

Belles dents!
Le chevalier Tristedent et le trésor ... 86
1. Le message secret ... 86
2. Le chevalier Tristedent ... 88
3. La Forêt des douceurs ... 91
4. La dernière épreuve ... 96
5. Le trésor ... 100

Mes vacances à la maison

Durant mes vacances d'été,
je suis restée à la maison.
Je ne suis pas allée à la mer.
Nous n'avons pas de chalet
et nous ne faisons pas de camping.
Mais, je me suis bien amusée.
Tout l'été, j'ai joué avec mes amies.
Je suis allée souvent au terrain de jeu
pour jouer à la balle.
Je me suis aussi baignée à la piscine du parc.
J'aime bien ça, être en vacances.

Nathalie

1-2

Sous la tente

Je suis bien content!
Papa m'a acheté une tente.
Une belle tente pour moi tout seul.
Sur le terrain de camping,
j'ai placé ma tente tout près
de celle de mes parents.
Ma tente est très belle, toute orangée!
Elle résiste au vent.
Elle résiste à la pluie.
J'ai dormi dedans tous les soirs,
excepté quand il y avait des orages.
Là, je dormais avec maman et papa.

David

Je me suis égaré

Durant mes vacances, j'ai fait du camping.
Un jour, je suis allé ramasser des framboises.
Il n'y en avait pas beaucoup,
mais elles étaient grosses et juteuses.
Je marchais, j'en ramassais.
Je marchais encore, j'en ramassais.
Quand mon plat a été bien plein,
j'ai levé la tête.
Je ne savais plus où j'étais rendu.
J'ai marché. J'ai marché encore.
J'ai crié très fort.
J'étais égaré.
Je pleurais et j'avais très peur.
Longtemps, longtemps plus tard,
j'ai entendu quelqu'un crier mon nom.
C'était papa!
J'ai répondu. J'ai crié très fort.
J'étais bien content que quelqu'un me retrouve.
Qu'est-ce que tu fais toi, pour ne pas te perdre?

Sylvain

À la pêche

Cet été, je suis allée en vacances
chez mon oncle Lucien.
Mon oncle est un agent de conservation.
Il s'occupe de faire respecter
les règlements de la chasse et de la pêche.
Je l'ai accompagné
et je l'ai aidé à faire son travail.

Pour faire ce travail, il faut connaître
les règlements de la pêche.
Il faut aussi connaître les sortes de poissons.

Nous avons rencontré trois groupes de pêcheurs.
Chaque fois, Lucien me disait:

«Qu'est-ce que tu ferais à ma place,
ma belle Campanule?»

Est-ce que toi, tu aurais su quoi dire?

Pour t'aider, je te donne
une copie des règlements de la pêche
et je t'explique ce que faisaient les pêcheurs
que nous avons rencontrés.

Campanule

Premier cas

Il y a trois pêcheurs sur le bord d'une rivière.
Un homme, une femme et une petite fille.
Mon oncle leur demande si ça mord.
Ils nous montrent leurs prises:
une bonne dizaine de poissons
qui ont des traits noirs sur le dos.
Ce sont des perchaudes.
Mon oncle se présente alors
et demande à voir leur permis de pêche.
Ils n'ont pas de permis.

Que leur dis-tu?
Consulte les pages 1-8 et 1-9.

Deuxième cas

Au bout d'un lac, il y a un barrage.
Quelques pêcheurs y taquinent le poisson.
Mon oncle s'approche d'eux
et demande à voir leur permis de pêche.
Tout semble correct.
Un des pêcheurs retire alors sa ligne de l'eau.
Oh! c'est une belle prise: un doré de 40 cm.
Le poisson gigote vivement.
Il s'est bien pris à l'un des cinq hameçons
qui sont attachés à la ligne du pêcheur.

Que lui dis-tu?
Consulte les pages 1-8 et 1-9.

Troisième cas

Un pêcheur en chaloupe rame sur un lac.
Il surveille sa ligne attachée derrière sa chaloupe.
Mon oncle lui fait signe.
Le pêcheur s'approche.
Mon oncle lui demande son permis de pêche.
Le pêcheur lui présente un permis.
On y lit un nom: Ernest Thibodeau.
Un autre pêcheur arrive sur le bord du lac
et salue le pêcheur en chaloupe:
«Salut Jean-Guy! Est-ce que ça mord aujourd'hui?»
Le pêcheur lui montre alors une corde
pleine d'achigans.
Il y en a sûrement une quinzaine.

Que lui dis-tu?
Consulte les pages 1-8 et 1-9.

Tableau pour la pêche sportive

Dans notre région,
voici la quantité de poissons autorisée
pour chaque pêcheur qui a un permis.

sorte de poissons	nombre de poissons par jour	saison
achigan	10	du 18 juin au 31 mars
brochet	6	du 14 mai au 31 mars
doré	6	du 14 mai au 31 mars
truite mouchetée	10	du 23 avril au 26 septembre
truite grise	3	du 23 avril au 26 septembre
truite arc-en-ciel	5	du 23 avril au 26 septembre
barbotte perchaude crapet carpe ...	pas de limite	toute l'année

Règlements de la pêche à la ligne

PERMIS

1. Au Québec, il est défendu de pêcher à la ligne sans avoir un permis de pêche.
2. Le mari ou la femme de la personne qui a son permis peut pêcher à la ligne sans permis. Ses enfants de moins de 18 ans aussi. Toutefois, toutes ces personnes doivent pêcher à la même place.
3. Lorsqu'il pêche, celui qui a son permis doit le porter sur lui et le montrer à l'agent de conservation sur demande.
4. Pour être bon, un permis doit être signé et daté.
5. On ne peut pas pêcher en empruntant le permis d'une autre personne.

PÊCHE

6. Il est défendu d'utiliser plus d'une ligne à la fois.
7. Il est défendu de laisser une ligne sans surveillance.
8. Il est interdit d'utiliser plus de trois hameçons sur une même ligne.
9. Il est interdit de pêcher quand ce n'est pas la saison.
10. Il ne faut pas dépasser le nombre de poissons qu'on a le droit de prendre.
11. Il est interdit de gaspiller des poissons qui seraient mangeables en les jetant au loin ou en les abandonnant au bord de l'eau.
12. Il est défendu de jeter des déchets à l'eau.

Note: Si la pêche se fait sur l'eau,
le pêcheur prudent porte un gilet de sauvetage.

Dans les sentiers

Cet été, j'ai marché souvent en forêt.
Je suivais des sentiers.
Ces sentiers sont entretenus
et aménagés de façon à informer les gens.
Des pancartes nomment les arbres
ou les plantes qu'on rencontre.
D'autres pancartes nous parlent
des animaux qui vivent dans cette région.
Certaines affiches invitent les gens
à ne pas couper d'arbres,
à ne pas faire de feu
ou encore à ne pas jeter de déchets.

D'après les règlements que je te donne
et les gens que j'ai rencontrés,
qu'est-ce que tu aurais dit
si tu avais été à ma place?
Campanule

Trois groupes en forêt

cas 1

Tu entends rire et chanter.
Il y a une dizaine de personnes
autour d'un gros feu de bois.
Ils ont l'air de bien s'amuser.
Autour d'eux, c'est plein de canettes vides
et le soleil baisse rapidement.

Quels conseils faut-il leur donner?
Consulte la page suivante.

cas 2

C'est l'après-midi.
Des enfants s'amusent près d'un ruisseau.
Ils tirent ensemble sur un arbre
qu'ils viennent d'abattre.
Ils disent qu'ils veulent se faire un pont
pour aller jouer de l'autre côté du ruisseau.

Quels conseils faut-il leur donner?
Consulte la page suivante.

cas 3

Une petite famille marche dans un sentier.
Les deux enfants sautillent en chantant.
Le père te salue. Il fume une cigarette.
Il te dit qu'il trouve l'endroit charmant,
que tout est propre et reposant.

Quel conseil faut-il lui donner?
Consulte la page suivante.

Règlements de circulation en forêt

1. Il faut suivre les sentiers.

2. Les sentiers doivent être tenus propres.
   Rapportez vos déchets ou jetez-les dans les poubelles
   placées près des haltes.

3. Il est défendu de coucher dans les haltes.

4. Il est défendu de couper des arbres.

5. Il est défendu de faire peur aux oiseaux
   ou aux autres petits animaux. On peut les nourrir.

6. Il est permis de faire un feu dans les endroits prévus.
   Il faut bien le noyer après usage.

7. La pêche est autorisée dans les ruisseaux.

8. Les sentiers sont ouverts tous les jours,
   du lever au coucher du soleil.
   Il est interdit de s'aventurer dans les sentiers
   après le coucher du soleil.

9. Il est interdit de fumer en marchant dans les sentiers.
   Si quelqu'un veut fumer,
   il doit s'arrêter et bien éteindre avant de repartir.

L'équipement pour la pêche à la ligne

Si tu veux pêcher,
il te faut un équipement de pêche.
Pour avoir du plaisir à pêcher,
l'équipement qu'il te faut n'est pas
bien compliqué.

Voici ce qu'il te faut:

une canne à pêche
de la corde (la ligne à pêche)
quelques hameçons et un plomb
un moulinet simple
des appâts.

La canne à pêche

Pour pêcher à la ligne flottante
ou pour pêcher sans lancer,
ta canne doit être assez longue et assez rigide.
Quand un poisson mord à ton appât,
il faut bien le piquer avec l'hameçon.
Si ta ligne n'est pas rigide,
le poisson va s'échapper.

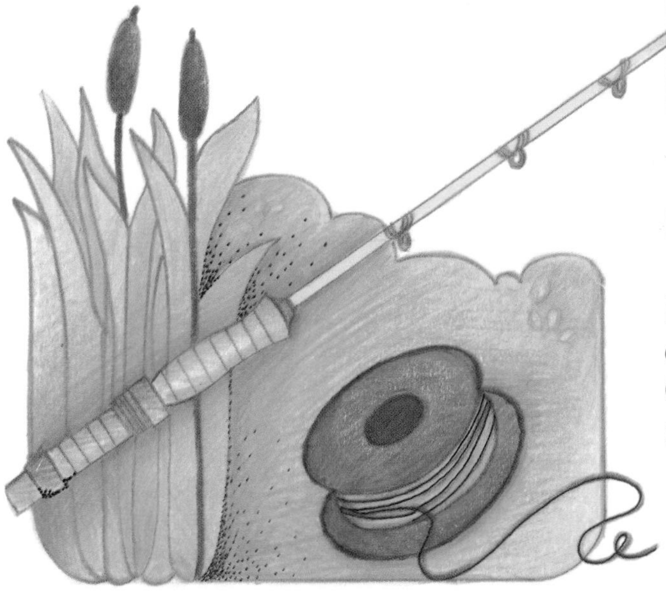

La ligne à pêche

La corde ou ligne à pêche
est souvent un filament de nylon.
Choisis-en un qui peut prendre
un poisson de 3 à 5 kilogrammes.

Les hameçons

L'hameçon, c'est l'arme du pêcheur.
C'est avec l'hameçon qu'il pique
et qu'il retient le poisson.
Tu as beau avoir la plus belle canne au monde
et un moulinet qui coûte très cher,
si ton hameçon n'est pas bon
tu auras de mauvais résultats.

Choisis des hameçons appropriés à la grosseur
du poisson que tu veux prendre.

Le moulinet

Le moulinet sert à enrouler ta corde.
Il ne sert pas beaucoup pour pêcher au bout d'un quai.
Mais si tu lances ta ligne au loin,
il est très utile pour la ramener.

Le plomb

Quand il y a du courant
ou encore quand l'eau est très profonde,
tu attaches un petit morceau de métal
à ta ligne pour qu'elle enfonce dans l'eau.

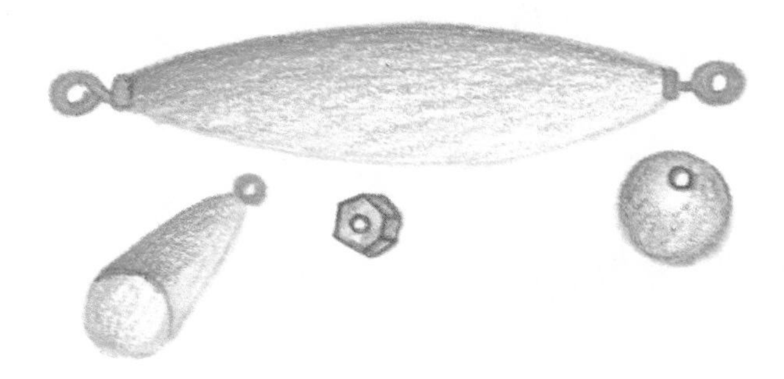

Les appâts

Un appât, c'est ce que tu accroches
au bout de la ligne pour attirer le poisson.
Il y a des appâts naturels: les vers de terre,
les «ménés», les vrais insectes.
Il y a des appâts artificiels: les cuillères,
les imitations de poissons, les mouches...

Parmi les appâts naturels, le ver de terre
est le plus utilisé.
Il est facile à trouver,
il ne coûte pas cher,
il est facile à transporter
et il est facile à fixer à l'hameçon.
Il faut bien l'enfiler
de façon à couvrir la forme de l'hameçon.
Il ne faut pas piquer le ver par la tête,
car cela va le tuer
et il ne bougera plus.

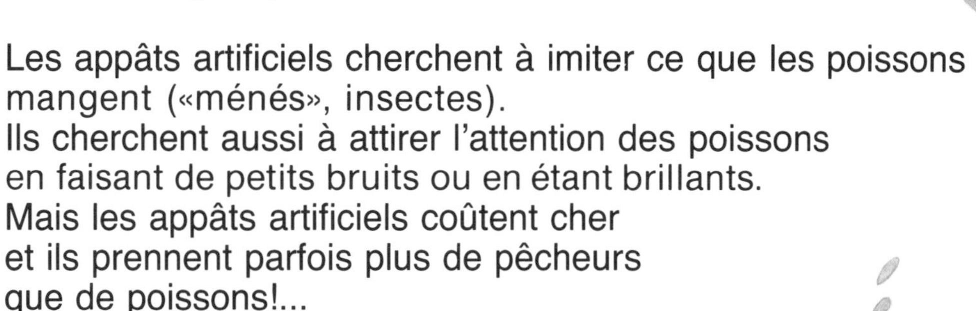

Les appâts artificiels cherchent à imiter ce que les poissons
mangent («ménés», insectes).
Ils cherchent aussi à attirer l'attention des poissons
en faisant de petits bruits ou en étant brillants.
Mais les appâts artificiels coûtent cher
et ils prennent parfois plus de pêcheurs
que de poissons!...

Sortes de pêches

Il y a la pêche en mouvement:
tu pêches derrière une chaloupe qui avance.
Il y a aussi la pêche «sur place».
C'est la plus populaire.
Comme le dit son nom, tu fais
de la pêche sur place lorsque tu pêches
dans une embarcation qui est arrêtée
ou bien lorsque tu pêches sur le bord de l'eau,
au bout d'un quai.

Tu peux pêcher sur place
soit à la ligne flottante,
soit à la ligne dormante,
soit au lancer.

- à la ligne flottante:

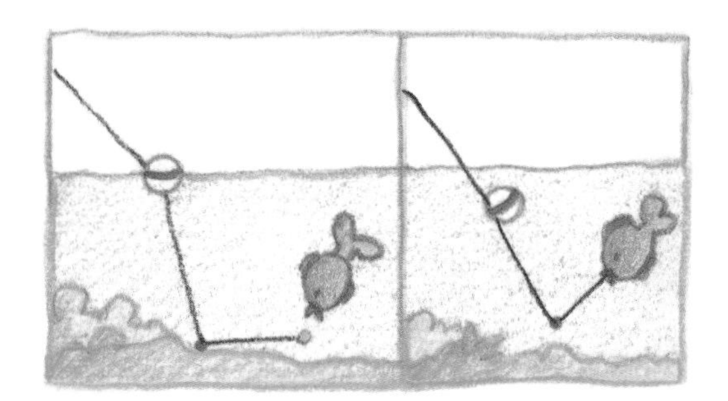

dans ce cas, ta ligne a un flotteur.
C'est un bouchon de liège ou une boule de
plastique qui flotte sur l'eau.
Le flotteur s'enfonce dans l'eau
lorsque le poisson mord à la ligne.

- à la ligne dormante:

dans ce cas, ta ligne repose au fond de l'eau.
Lorsque le poisson mord, tu tires un bon coup
pour prendre le poisson avec l'hameçon.

- au lancer:

dans ce cas, tu lances ta ligne au loin.
Tu utilises le moulinet pour enrouler la corde.
Au lancer, le pêcheur utilise souvent
un appât artificiel.

Sortes de poissons

Je suis une bonne pêcheuse!
Je prends souvent des poissons.
Je respecte les règlements.
Si tu veux les respecter toi aussi,
il faut que tu connaisses
les sortes de poissons que tu prends.

Voici quelques mots
sur les sortes de poissons que j'ai déjà pris.

goujons et poissons blancs

Ce sont de petits poissons.
Ils sont comme argentés.
Il y en a partout: dans les ruisseaux,
dans les rivières, dans les lacs et
même dans les étangs.
Ils mordent très facilement à l'hameçon.

perchaude

La perchaude a du jaune doré sur les côtés,
de l'orangé sur les nageoires et
des rayures noires sur le dos.
La perchaude n'est pas un gros poisson.
Elle est facile à capturer.
Il y en a un peu partout dans
les rivières et les lacs.
Elle se pêche bien à la ligne «sur place».

truite

La truite est un beau poisson.
J'en ai déjà pris quelques-unes dans un ruisseau
et une dans un lac.
Papa la pêche à la mouche,
moi, au lancer avec des vers.
La truite que j'ai prise avait le dos brun,
les côtés roses avec partout,
des petits points rouges, bleus et verts.
Le ventre était presque blanc.
C'était une truite rouge du Québec.

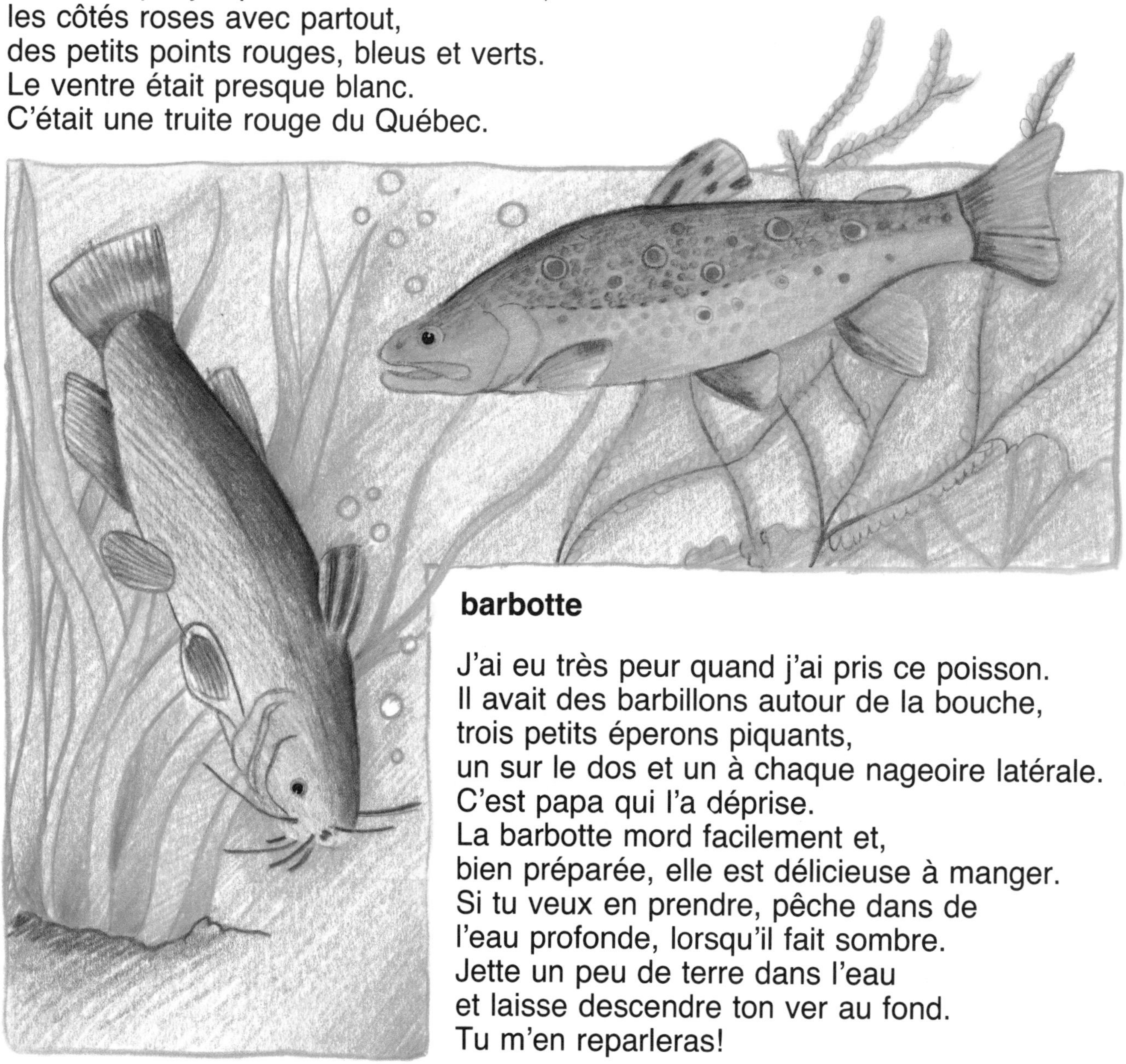

barbotte

J'ai eu très peur quand j'ai pris ce poisson.
Il avait des barbillons autour de la bouche,
trois petits éperons piquants,
un sur le dos et un à chaque nageoire latérale.
C'est papa qui l'a déprise.
La barbotte mord facilement et,
bien préparée, elle est délicieuse à manger.
Si tu veux en prendre, pêche dans de
l'eau profonde, lorsqu'il fait sombre.
Jette un peu de terre dans l'eau
et laisse descendre ton ver au fond.
Tu m'en reparleras!

crapet

Un autre petit poisson
bien amusant à pêcher, c'est le crapet.
Il ressemble à une raquette de 15 cm de long.
Il mord bien au ver et il est facile à pêcher.
Il est délicieux à manger
si tu as la patience de l'apprêter.

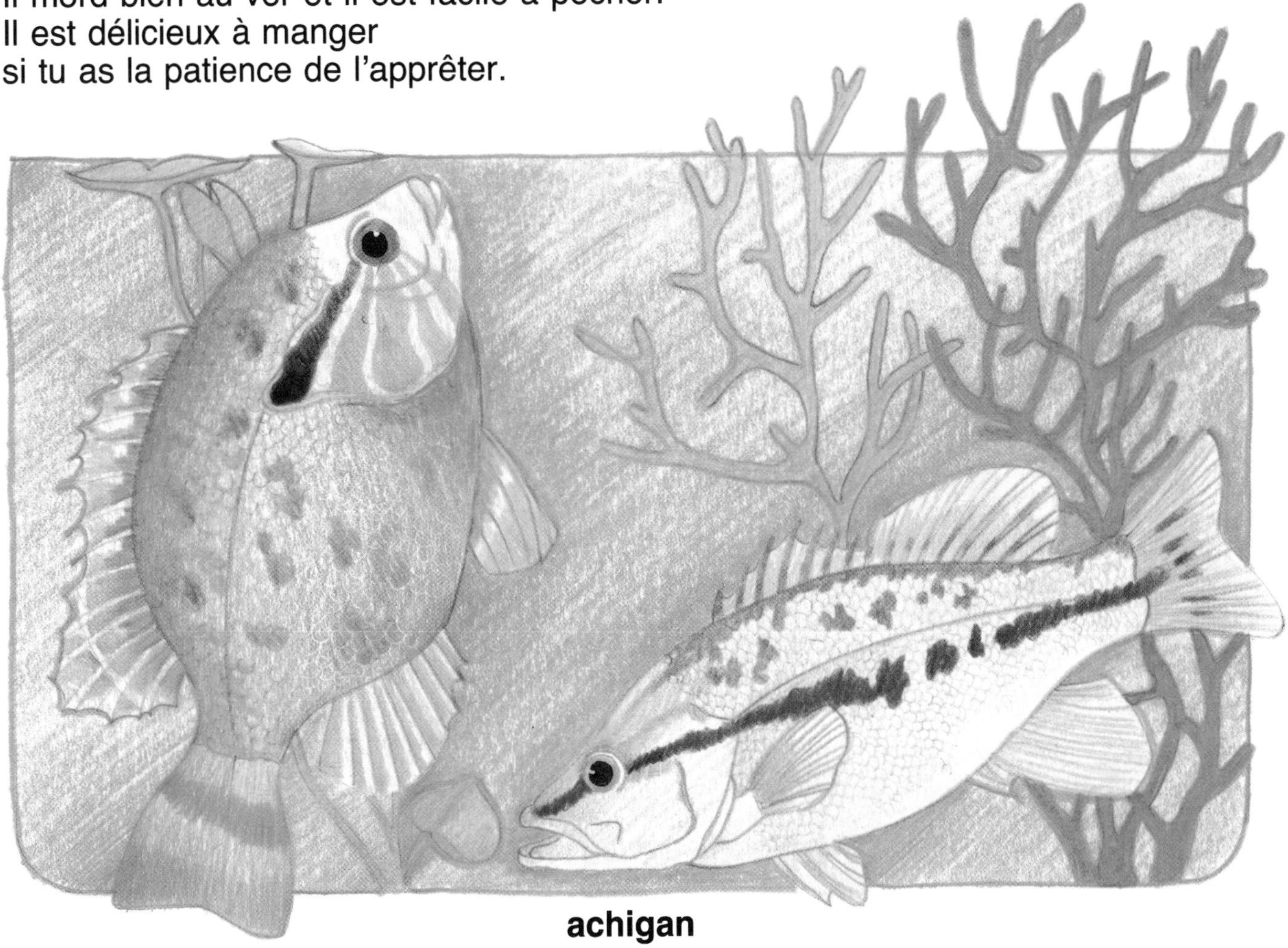

achigan

C'est un bon poisson de lac.
C'est un poisson qui lutte beaucoup
lorsqu'il s'est pris à l'hameçon.
Quand j'en ai attrapé un,
il a sauté hors de l'eau avec un grand bruit.
Je l'ai tiré vers moi, je l'ai levé
dans les airs, et plouf! Je l'ai échappé...

2-1

Aide-moi!

Bonjour!

Si tu savais comme je me sens malheureux. Je sais que ce qui est arrivé est de ma faute. J'ai agi sans réfléchir. J'ai été très imprudent et j'ai failli causer un grand malheur. Ah! juste d'y penser, j'en ai froid dans le dos.

Je cherche quelqu'un qui voudrait m'aider. C'est vrai que tu veux m'aider? C'est vraiment gentil de ta part.

Oh! ce n'est pas bien compliqué. Je vais te raconter ce qui m'est arrivé. Toi, tu me diras ce que j'aurais dû faire.

Quels conseils me donnerais-tu pour éviter qu'un incendie se produise chez moi? Je t'en prie, écris-moi vite. J'ai bien hâte de savoir.

Merci de m'aider.

Filament.

Les imprudences de Filament

Filament a découvert un coin extraordinaire
dans la maison qu'il habite. En cherchant
le grand cerf-volant de sa soeur Julie,
il a revu la trappe qui permet de monter au grenier.
Malgré l'interdiction de ses parents,
Filament ne peut résister au désir
de pénétrer dans cet endroit mystérieux.

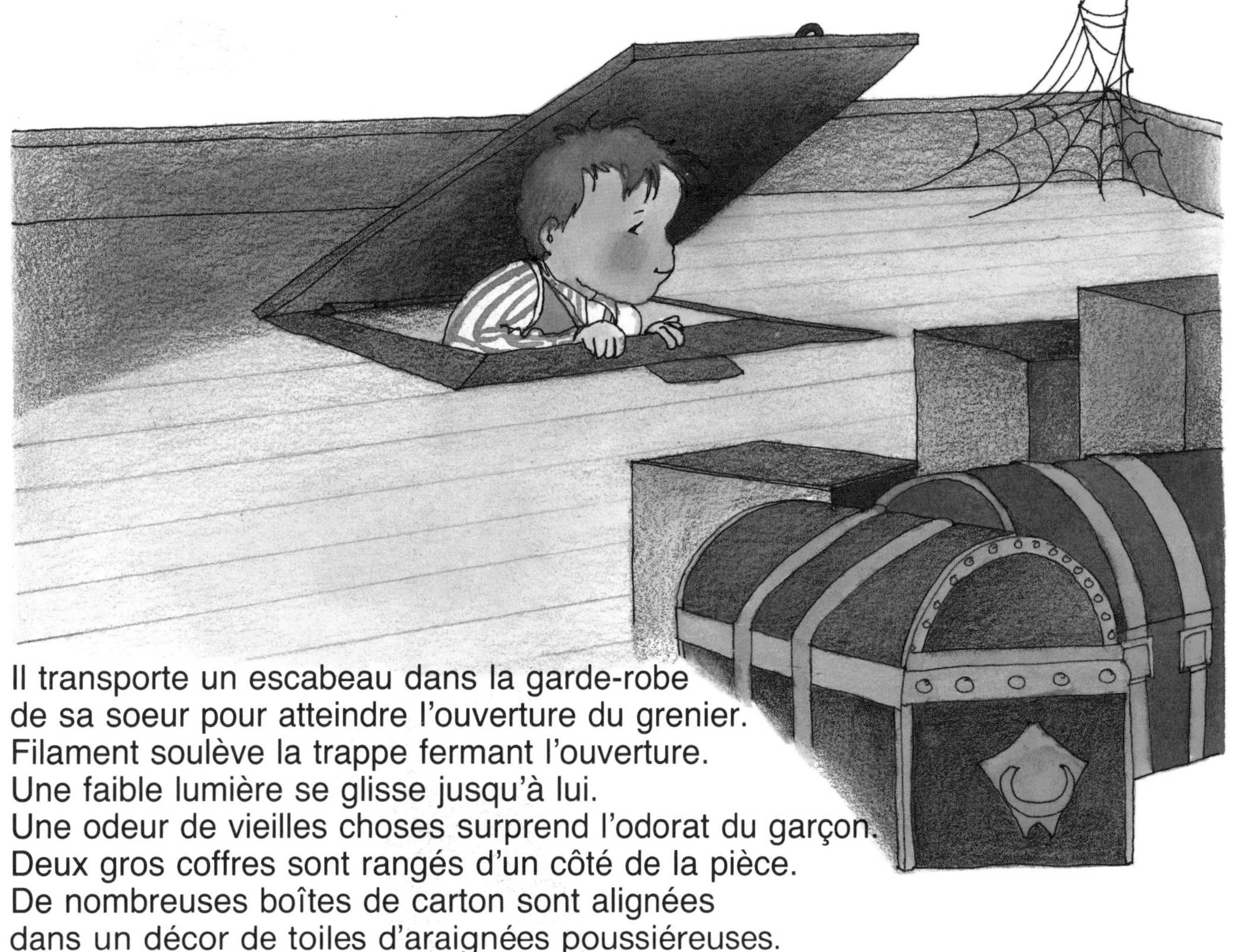

Il transporte un escabeau dans la garde-robe
de sa soeur pour atteindre l'ouverture du grenier.
Filament soulève la trappe fermant l'ouverture.
Une faible lumière se glisse jusqu'à lui.
Une odeur de vieilles choses surprend l'odorat du garçon.
Deux gros coffres sont rangés d'un côté de la pièce.
De nombreuses boîtes de carton sont alignées
dans un décor de toiles d'araignées poussiéreuses.
En s'aidant de ses mains et de ses bras,
Filament grimpe au grenier.

Le premier coffre contient des vêtements
d'une autre époque, le deuxième coffre renferme
une quantité incroyable d'objets antiques.
Quel trésor!
Le garçon est fasciné par un magnifique fanal.
Il se souvient d'en avoir vu un semblable
dans la maison d'un ami.
L'idée de le faire fonctionner ne le quitte plus.
Il retire l'objet de sa prison,
souffle la poussière qui le recouvre
et l'essuie avec un chiffon tiré d'une boîte derrière lui.

Après avoir fait disparaître toute trace de son passage
et après avoir dissimulé sa précieuse découverte
dans son sac à dos, Filament court chez son ami Brioche.
Dans sa tête, Filament se dit:
«Si Brioche ne veut pas me donner un peu d'huile
du fanal de son grand-père,
je prendrai de l'huile pour la salade».

La demande surprend un peu Brioche.
Quand Filament ouvre son sac à dos
et qu'il laisse entrevoir son vieux fanal,
Brioche ne peut plus refuser.
Faire fonctionner un vieux fanal,
c'est une chose dont on ne peut se priver.
En cachette, les deux garçons vont prendre de l'huile rose
contenue dans la lampe posée sur la poutre du foyer.
Les deux garnements sortent de la maison
en faisant semblant d'avoir une conversation très animée
sur leurs exploits en motocross.

Dans la remise, derrière la maison,
Brioche et Filament entreprennent d'allumer le fanal.
La vieille mèche résiste.
Les enfants décident de la plonger complètement dans le kérozène.
Filament, maladroit,
renverse une partie du liquide inflammable
sur le plancher de bois de la bâtisse.

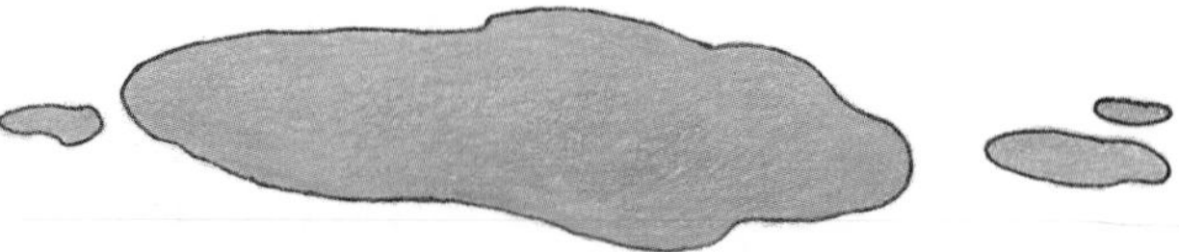

Les deux enfants insouciants ne se rendent pas compte
du danger qui les menace.
Brioche sort de sa poche deux grosses allumettes de bois
qu'il a prises chez lui.
Il en frotte une contre le plancher rugueux
et la flamme jaillit.
Il approche le feu de la mèche ruisselante d'huile.
Le feu monte brusquement dans la cheminée du fanal
en noircissant les parois de verre.
Les deux enfants crient victoire.
Leurs regards admiratifs sont posés sur le vieux fanal
qui illumine la pièce habituellement mal éclairée.
L'objet repose au milieu de la flaque de kérozène
répandue accidentellement un peu plus tôt.

Apercevant les reflets étranges créés
par cette source lumineuse tremblotante,
Filament approche le fanal du visage de Brioche.
Il veut voir quels seront les effets.
Brioche s'inquiète et demande à Filament
de cesser ce jeu dangereux.
Filament continue ses expériences
sur le mur le plus sombre de la remise.
Les mouvements brusques du garçon
font vaciller la flamme qui semble disparaître
pour renaître aussitôt.

Filament, emporté par le plaisir de créer
des mouvements de lumière dans la pénombre de la remise,
se met à tourner sur lui-même en tenant le vieux fanal
qui décrit des spirales montantes et descendantes.
Le magicien glisse soudainement sur le liquide répandu
et laisse tomber le fanal qui s'écrase sur le plancher.

Le feu se propage à une grande surface.
Les deux enfants réalisent
que le feu les empêche d'atteindre la sortie.
Pour sortir, ils doivent traverser les flammes.
Spontanément, ils se mettent à hurler
pour que quelqu'un leur vienne en aide.

Heureusement, la maman de Brioche,
qui a vu la fumée sortir de la porte de la remise,
se précipite avec un extincteur
pour lutter contre le feu.
Courageusement, elle ouvre la porte de la remise
et balaie la surface enflammée du jet puissant de l'extincteur.

Brioche et Filament, blottis
dans le coin le plus éloigné des flammes,
aperçoivent enfin la maman de Brioche à travers la fumée
qui se dissipe un peu. Ils respirent difficilement.
Ils toussent en ressentant un horrible déchirement dans la poitrine.
Des voisins qui arrivent, les transportent au dehors
et les étendent sur la pelouse fraîche.
On entend déjà la sirène de l'ambulance qui traverse le quartier
pour leur porter secours.

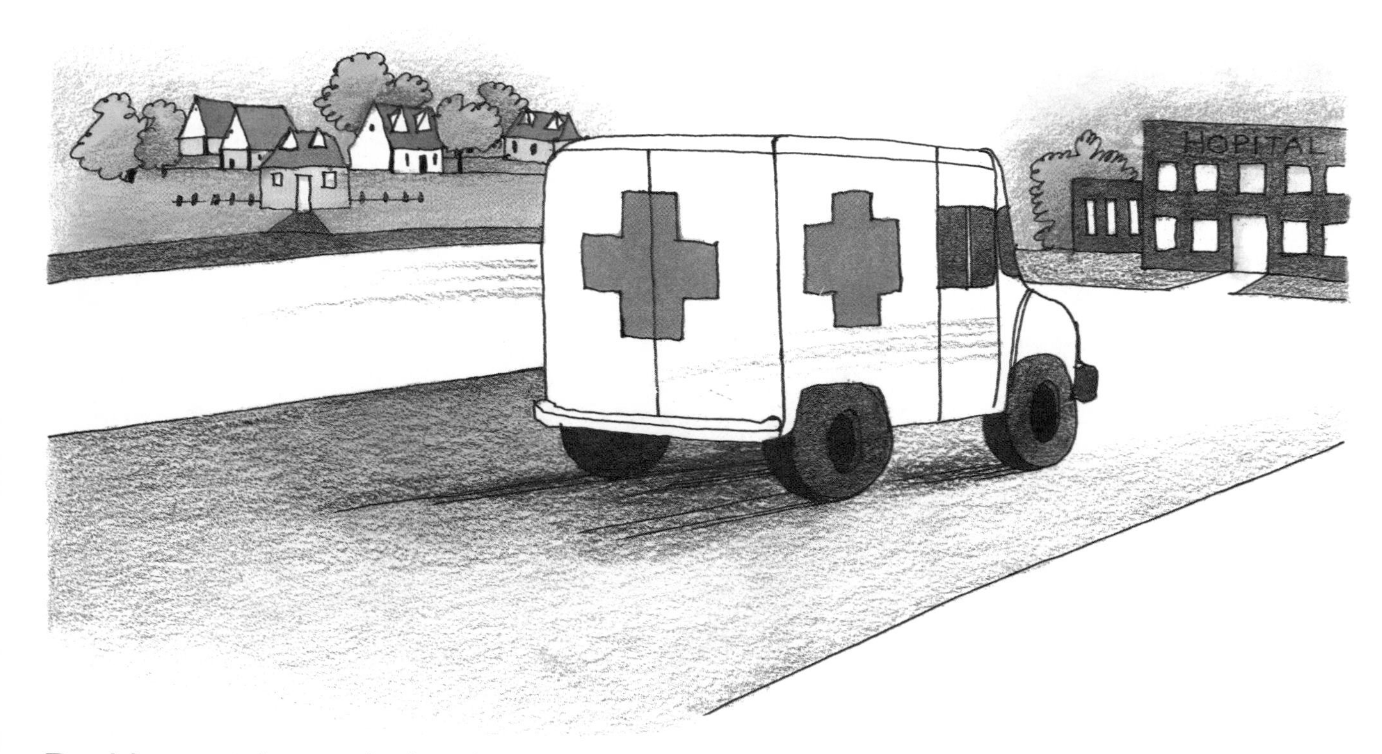

Rapidement, les ambulanciers sont sur place.
Les enfants sont conduits à la salle d'urgence
de l'hôpital municipal où ils recevront les meilleurs soins.
Pendant qu'ils sont transportés au centre hospitalier,
les enfants réalisent combien ils ont été imprudents.
Filament ne sait pas si les larmes qui s'échappent de ses yeux
sont provoquées par le regret d'avoir été imprudent
ou par la joie d'avoir échappé, lui et son ami,
à une triste mort.

Je l'ai eue!

Youppi! Bravo! Hourra!
Ah! c'est extraordinaire. Enfin, enfin, enfin!
Tu te demandes ce que j'ai à être de si bonne humeur,
n'est-ce pas? Eh bien, je l'ai eue.
Oui, je l'ai eue ma carte de membre.
Je vais te surprendre!
Moi, Filament, je suis maintenant...
membre du **Club des amis de la nature**
et j'en suis TRRRRÈS fier.

Oh! cela n'a pas été facile.
Il a fallu que j'apprenne beaucoup de choses
sur les animaux de nos bois.
Puis, il m'a fallu répondre à un long et difficile
questionnaire. Il y avait, en tout, 25 longues questions.

Mais, je les ai réussies. Et je suis membre du Club.

Cela t'intéresse aussi?

Voici ce que je peux faire pour toi.
Je vais te laisser le temps d'apprendre beaucoup de choses
sur les animaux de nos bois: le porc-épic,
le raton laveur, l'ours, le lièvre, etc.

Puis, je te ferai répondre au questionnaire d'admission
au **Club des amis de la nature**.
Si tu réussis à répondre correctement à plus de 20
questions, je te ferai obtenir ta carte de membre.

Bonne chance!

Ah! oui, il faut que je te le dise:
pour répondre au questionnaire, tu as le droit
d'utiliser des fiches que tu auras écrites toi-même.

Filament

Anisette, la mouffette

Qui ne connaît pas la mouffette?
Elle a une mauvaise réputation
mais est-elle vraiment à craindre?

son habitat

Anisette aime habiter les clairières des forêts mais elle préfère souvent le voisinage des humains: remise, chalet,... Si l'humain n'apprécie pas tellement sa présence, il lui abandonne tout de même des déchets d'aliments dont elle se régale. Voilà pourquoi on la rencontre dans les campings et autour des villes.

son alimentation

Anisette mange de tout. On dit qu'elle est omnivore. De petits rongeurs, des grenouilles, des oiseaux, de petits fruits et des insectes, tout est bon pour elle. Elle aime les dépotoirs et les poubelles: elle n'a pas besoin de chasser pour avoir de la nourriture.

sa vie de famille

La femelle donne naissance à environ six petits au début du mois de mai. Les mignons bébés sont sourds et aveugles à la naissance. Après trente jours, les oreilles et les yeux s'ouvrent et la fameuse glande «à parfum» fonctionne aussi.

son moyen de défense

Anisette n'est pas une bête qui pue.
Cette senteur vient d'un liquide
qu'elle lance si elle a à se défendre.
Ce sont deux glandes à la base de sa queue
qui fabriquent ce liquide «parfumé».
Une contraction brusque du muscle peut
projeter le liquide jusqu'à une distance
de cinq mètres. Habituellement, Anisette
avertit en tapant du pied trois fois et
en levant la queue. Si le message n'est
pas compris... elle rate rarement son coup.

en hiver

Anisette fait sa tournée nocturne jusqu'à
la fin de l'automne. En novembre, elle est
très grasse. Elle cherche un terrier ou un
abri (ce peut être sous ton chalet...).
En décembre, elle s'installe pour l'hiver.
Anisette passe presque tout l'hiver à dormir.
Elle se réveille parfois pour grignoter et
se dégourdir un peu. À la fin de mars, sa vie
active reprend.

Anisette n'est pas dangereuse.
Elle ne s'attaquera pas aux humains.
Elle n'est pas nerveuse du tout.
Elle sait qu'elle possède une arme qui n'est
pas secrète mais qui est très efficace.

son déplacement

Anisette marche en se dandinant,
tout comme le porc-épic.
Ses pattes griffues laissent
des empreintes faciles à reconnaître.

Bougon, l'ours noir

mon apparence

Je suis un animal de forte taille. J'ai une silhouette massive et ma démarche est peu élégante. Je marche souvent la tête basse.

Je peux me tenir debout comme l'humain, mais je ne marche pas debout. Mes pieds ont 5 griffes. Cela pourra t'aider à reconnaître mes empreintes. Mes pattes arrière laissent des empreintes d'environ 20 cm de longueur.

Je marche en me dandinant et, malgré ma grosseur, je fais de tout petits pas.

mon habitat

Mon vrai chez-moi, c'est la grande forêt. Voilà pourquoi vous ne me voyez pas souvent.

ma façon de vivre

On m'appelle Bougon parce que je préfère être seul. J'ai un immense territoire de chasse que je défends farouchement. Je n'aime pas beaucoup la présence des humains, même, je la fuis. Je me promène surtout la nuit et, malgré mon poids, je marche sans faire de bruit. Si des gens me voient près des chalets ou près d'un terrain de camping, c'est que je vais pêcher ou grignoter des petits fruits sauvages. Bien sûr, l'odeur de certains déchets peuvent m'attirer.

mon menu

C'est simple, je ne suis pas
difficile du tout: je mange de tout.
Je suis omnivore. Je dévore
volontiers de la viande fraîche ou
de la charogne. Je croque aussi
bien des oiseaux, des grenouilles,
des poissons, des insectes,
des petits fruits, des noix,
des herbes, des racines et de petits
rongeurs. Je peux parfois saccager
un champ de maïs ou un verger,
mais ce que je préfère le plus,
c'est le bon miel. Ah! le miel,
comme c'est bon! Il faut dire que
ma fourrure me protège des piqûres
d'insectes.

en hiver

Je n'hiberne pas vraiment. Bien sûr,
quand l'hiver arrive, je m'endors
dans mon abri qui est souvent une grotte.
Ma température ne baisse pas et
je respire normalement.
Je vis alors de mes réserves de graisse.
Voilà pourquoi je me réveille facilement
si quelqu'un entre dans mon repaire.

Au printemps, en sortant de mon abri,
j'ai une faim... d'ours.
Mais je te donne un bon conseil:
si tu vois une mère avec ses petits,
ne t'en approche surtout pas.
Elle peut devenir très féroce
si elle croit ses petits en danger.

Je suis un animal très intelligent.
On peut m'apprivoiser facilement
si on me prend jeune.
J'apprends une foule de tours
pour épater les spectateurs.
Mais il serait très imprudent d'essayer
de me donner à manger si tu me rencontres
dans un parc national.
Un ours noir comme moi,
c'est une boîte à surprise:
on ne sait jamais comment je réagirai.

Fripon, l'écureuil roux

variétés

Il existe plusieurs variétés d'écureuils: le roux, le gris et l'écureuil «volant». Dans les villes, l'écureuil gris se promène souvent dans les parcs.

En forêt, dans les campings, c'est surtout le roux que l'on rencontre.

Fripon, l'écureuil roux, porte bien son nom. C'est un mauvais garnement.

son apparence

Fripon est agréable au regard, avec sa fourrure propre et lustrée, ses yeux noirs, sa queue en panache...
Il est très agile, ce qui lui permet de sauter de branche en branche.

sa nourriture

Le menu de Fripon se compose de noix, de glands, de petits fruits et même, de champignons. Parfois, il mange aussi des insectes. Il peut, au printemps, entailler une branche d'érable et boire la sève sucrée.

sa vraie nature

Si gentil en apparence, Fripon est un voleur et un assassin. Celui envers qui il est très méchant, c'est son cousin, le tamias rayé. Il cherche son nid et le détruit, volant toutes les provisions qui s'y trouvent. Il est plus cruel encore envers son «grand frère» paisible, l'écureuil gris. Il ne se contente pas de détruire son nid, mais se plaît à tuer, un à un, les jeunes qu'il y découvre. Il agit de même avec les oiseaux. Des semaines durant, il grimpe d'arbre en arbre et dévore au nez des parents, aussi bien les oisillons que les oeufs.
Un seul écureuil roux détruit environ 200 oiseaux chaque année.

ses exploits

Fripon, s'il est en danger, peut sauter d'une grande hauteur sur le sol sans se faire aucun mal.

C'est un excellent nageur et il ne craint pas de se mettre à l'eau. Il peut traverser des étendues d'eau aussi grandes qu'un lac. Malheureusement pour lui, il se fait parfois croquer par un brochet.

en hiver

Fripon n'hiberne pas. Il est actif en toute saison. En hiver, la vie de forêt est souvent rude pour l'écureuil roux, d'autant plus qu'il ne se donne pas toujours la peine d'amasser suffisamment de provisions pour les mauvais jours.

Si la nourriture vient à manquer, Fripon grignotera des bourgeons d'arbres ou encore, il arrachera des cônes de pin ou d'épinettes et mangera les graines qui s'y trouvent.

On le voit rarement en hiver car il sort plutôt la nuit. Comme s'il avait peur de se faire remarquer sur la neige trop blanche.

Le jour, il se tient au chaud dans son abri au creux d'un pin ou d'un bouleau mort.

Au printemps, Fripon est comme fou. Il aime le soleil et il grimpe aux arbres en tournoyant autour des troncs. Il saute d'une branche à l'autre et crie presque tout le temps.

Chip, le tamias rayé

son apparence

Chip, le tamias rayé est un petit rongeur. Avec sa petite tête ronde, ses oreilles courtes, son poil ras, sa petite queue aplatie et ses cinq rayures sur le dos (cinq bandes foncées et deux pâles), il est facile à reconnaître.

Chip est le seul de nos petits rongeurs à posséder des abajoues. Ce sont de petits sacs dans ses joues qu'il utilise pour emmagasiner des aliments et les transporter.

son menu

Chip, qu'on appelle aussi **suisse**, est surtout végétarien. Il se nourrit de graines de toutes sortes et de noix. Les mois d'août et de septembre sont pour lui le temps de faire des réserves pour l'hiver.

en hiver

Que fait Chip durant l'hiver?
Certains disent que, pendant la saison froide, il puise dans ses réserves de nourriture qu'il a cachée sous terre; d'autres affirment plutôt qu'il mange abondamment, s'endort profondément et garde le reste de sa nourriture pour le réveil.
Chip a ses secrets...

ses habitudes

Chip, le suisse, est très propre.
Il ne cesse de se laver la figure
et de lustrer son poil. Lui qui passe
une grande partie de sa vie sous terre,
on ne le voit jamais souillé de boue.
Dans son logis, tout est bien rangé.
Chaque chose a sa place!

Chip est très actif. Il ne tient pas
en place. Il va, vient, court, saute,
tourne sur lui-même et disparaît
tout à coup, très rapidement.
Il est très méfiant. Petit comme il l'est,
il craint sans cesse d'être mangé
par un plus gros que lui.

Avec de la patience, Chip se laisse
apprivoiser assez facilement.

ses déplacements

Comme l'écureuil, son cousin,
Chip se déplace par petits bonds.

Tiki, le raton laveur

Tu as tort de m'appeler «raton» car
moi, Tiki, je n'ai aucune parenté
avec le rat. Au contraire,
je m'apparente plutôt à l'ours.
D'autres m'appellent «chat sauvage».
C'est du lynx qu'il s'agit alors
et non de moi, le raton laveur.

mon apparence

Je ressemble à un ours miniature.
J'ai cependant une queue beaucoup
plus belle que celle de l'ours.
Je suis plutôt bas sur pattes.
Tu peux me reconnaître facilement
par le genre de «masque» noir que
dessine ma fourrure autour de mes yeux.
J'ai aussi comme trois anneaux
de poils fonçés autour de ma queue.
Mes pieds ont cinq griffes, comme
l'ours, et ont le dessous plissé
comme une vieille main de singe.
Mes pieds de devant ont des «doigts»
longs, ce qui me permet de tenir
ma nourriture, comme le font les
écureuils.

mon habitat

Il faut trois choses importantes
pour que je m'installe à un endroit:
de l'eau (lac, cours d'eau ou
marécage, je ne suis pas si difficile),
des arbres (surtout des arbres
à feuilles) et de la nourriture.

Je loge habituellement dans
un tronc creux.

mon menu

Si je suis habituellement «rondelet»,
c'est que je ne suis pas difficile:
je mange à peu près tout ce qui se mange:
du grain, des fruits, des petits animaux.
Mais, puisque je vis près de l'eau,
j'aime bien me régaler de grenouilles,
d'écrevisses, de mollusques, de poissons
et d'oeufs de tortues. Même si j'ai l'air
lourdaud, je suis très habile pour
attraper ce que je veux manger.

Je l'avoue, je vole souvent du maïs
dans le champ des cultivateurs.
Ils ne peuvent pas m'en blâmer,
c'est si bon...

Je m'épargne souvent du travail en
mangeant ce que les humains jettent.
Et, crois-moi, ils en jettent
de la nourriture...

mes habitudes

Je suis un bon vivant et je n'ai pas grand souci de ma ligne. Aussi, je mange presque tout le temps et je fais peu d'exercice.

Je sors surtout la nuit. Durant la journée, je m'«occupe» à roupiller un peu... Bien quoi, c'est fatigant de toujours manger!

Les gens s'accordent à dire que je suis très intelligent. Des scientifiques me disent aussi intelligent qu'un... singe. Ils disent aussi que je suis très habile et inventif.

Mon défaut (je crois que c'est le seul), c'est la curiosité.

Beaucoup de gens croient que je lave toujours ma nourriture avant de manger. Ce n'est pas parce que je suis propre, non! C'est parce que je manque de salive. Aussi, en trempant mes aliments dans l'eau je peux les manger plus facilement.

ma vie en famille

Au printemps, la femelle donne naissance à environ quatre petits. Après quarante jours de soins, les petits commencent à trotter dehors. C'est la mère qui apprend aux jeunes la vie de raton. À l'automne, les jeunes doivent quitter la maison et se débrouiller seuls.

en hiver

Je demeure actif toute l'année. À l'automne, j'engraisse beaucoup. Par grands froids, je me retire chez-moi. Je n'hiberne pas, mais je dors profondément lorsqu'il fait très froid. Lorsqu'il y a un dégel, je sors prendre l'air. Tu peux alors voir mes pistes dans la neige.

Toudou, le porc-épic

un animal dangereux?

Il y a des gens qui croient que je peux lancer mes piquants. Non ! je ne les lance pas. Quand je suis attaqué, je peux dresser chacun de mes 30 000 piquants et je fouette avec ma queue. C'est alors que plusieurs piquants et poils peuvent se détacher.

En d'autres temps, je suis timide. Je ne veux de mal à personne et je me promène lentement dans la forêt à la recherche de la nourriture. Jamais je ne t'attaquerai.

nourriture

Je mange presque n'importe quoi: des écorces, des feuilles et des racines. Mais ce que je préfère surtout, c'est le bois enduit de colle. C'est pour cela que je gruge les chaloupes de bois, les rames, les perrons de contre-plaqué.

en hiver

Moi, Toudou, je n'hiberne pas, comme la marmotte. S'il fait très froid, je me blottis dans mon terrier ou encore je reste dehors. Je ne crains pas le froid parce que j'ai une double fourrure et une épaisse couche de graisse qui retient la chaleur de mon corps.

Tu vois, même si je ressemble parfois à une «pelote d'épingles», je ne suis pas dangereux. Je vis paisiblement dans ma forêt de conifères. Si je suis attaqué, je ne riposte pas comme la mouffette, mais si quelqu'un me touche, mes piquants qui se détachent facilement resteront dans sa peau et lui feront très mal.

Peste, la marmotte

Oui, le «siffleux», c'est Peste la marmotte. On lui a donné ce nom à cause de l'habitude qu'elle a de lancer un bref sifflement.

nuisible ou utile?

La marmotte n'est pas chassée pour sa fourrure: sa fourrure n'a pas de valeur.
Elle est plutôt chassée à cause
des désagréments qu'elle amène
en creusant des trous dans les champs.
Beaucoup de vaches se blessent
en mettant la patte dans ce trou.
On la chasse encore parce qu'elle
grignote ce qui pousse dans les jardins.

en hiver

L'automne, Peste engraisse énormément. Quand arrivent les froids, elle se renferme dans son terrier, avec plusieurs de ses compagnes et elle s'endort pour tout l'hiver. Sa température descend, sa respiration ralentit, de même que le rythme des battements de son coeur.

Elle dort si profondément, que même si tu la mettais dans l'eau, elle ne se réveillerait pas.

Peste sort de son état d'hibernation tôt le printemps. Elle a alors deux soucis: le premier, manger; le second, trouver un compagnon pour avoir des petits.

la vie de famille

La femelle porte ses bébés trente-deux jours. Elle en a entre deux et six. Ils mettent deux ans à atteindre leur poids d'adulte.

C'est la mère seule qui élève les petits. Au cours de tout l'été, elle leur enseigne à creuser un terrier et à choisir les bons aliments. Les petits font tout ce que fait la mère. S'il y a du danger, la mère siffle puis entre vite au terrier, ce que les jeunes apprennent vite à faire par eux-mêmes.

Éclair, le lièvre

Vite, vite, je suis pressé.
Qu'est-ce que tu veux savoir de moi?

Oh! tu veux savoir beaucoup de choses.

Bon, d'accord. Je vais te parler de moi.

je suis un animal rapide

Je m'appelle Éclair. On dit que je suis
vif comme l'éclair. Et c'est vrai.
Il n'y a pas beaucoup d'animaux qui soient
plus vifs que moi. Crois-moi,
je ne me vante pas;
je ne fais que répéter ce que j'entends.

C'est que j'ai beaucoup d'ennemis et
je dois me sauver. Je ne vole pas, je ne
grimpe pas aux arbres, je n'ai pas de terrier
où me cacher. Il ne me reste qu'un choix:
courir. Attends-moi un instant, je vais
voir s'il n'y a pas d'ennemis.

mon apparence

Je suis revenu. Tu vois que je suis rapide!
Je n'ai pas une bonne vue, mais mes oreilles sont comme des antennes. J'entends tout.
Je ne suis pas gros, pas plus qu'un chat.
J'ai de grandes pattes arrière qui me servent à courir par sauts.
Ma fourrure devient blanche en hiver.
De cette façon, je peux rester immobile et mes ennemis ne me voient pas.

Par contre, mes traces sont faciles à reconnaître. As-tu déjà vu mes empreintes?

en hiver

Je ne dors pas l'hiver. Je m'abrite sous une vieille souche ou dans un amas de branches.

Si tu veux en savoir plus, il te faudra attendre que je repasse ou que tu lises un livre qui parle de moi.

Je suis pressé, je dois partir. Salut!

Tu peux pleurer, Filament!

Filament s'amuse avec sa copine Campanule.
Ils imaginent que la poupée avec laquelle
ils jouent s'envole pour un voyage dans l'espace.

Une bande de garçons, Fringolet et ses amis,
passent par là. Ils se mettent à rire en montrant
Filament du doigt.

Sais-tu que tu fais
une belle nounou de sa moumou?

Qu'est-ce que
c'est ça?

Une petite fille
à sa maman!

Filament sent monter les larmes à ses yeux.

Hé! les amis, regardez
le nounou de sa moumou
qui pleure. Je vous l'avais
bien dit: c'est une petite
fille à sa moumou.

Campanule qui n'avait pas parlé jusque-là s'adresse à Fringolet:
Si tu es aussi fort que tu le crois, baba à popo, commence donc par moucher ton nez.

Tu es bon pour rire des autres quand tu es avec toute ta bande. Autrement, tu es comme un crapaud peureux. Tu ne m'impressionnes pas du tout.

Une vieille dame qui assistait de loin à la scène s'approche du groupe. Fringolet et ses amis en profitent pour déguerpir. La dame pose ses mains sur les épaules de Filament qui sanglote encore.
J'ai tout entendu, petit. N'écoute pas ce garçon. Tu peux pleurer.

Il n'y a que les insensibles
qui ne pleurent pas. La colère,
la peine, la tristesse, la joie
sont autant de raisons de pleurer.

Pourquoi Fringolet
me traite-t-il ainsi?

Parce qu'il ne sait pas.
Un jour, il aura une grande peine
et il comprendra. Sinon,
je n'ose pas penser à ce qu'il deviendra.

Campanule, un garçon manqué?

Campanule regarde Filament depuis un moment. Elle semble mécontente. Elle n'a pas dit un seul mot. Elle n'a même pas répondu au salut que lui a adressé Filament.
Le garçon est sur le point de lui demander ce qui ne va pas quand...

Oui, oui, tu as bien entendu.
Bien... je ne sais pas.
Toi, tu aimerais être un garçon?

Certains jours, oui. C'est à cause de ma tante Véronique qui vient nous garder de temps en temps. Hier, par exemple, quand je suis revenue à la maison, elle m'a dit de façon très méchante que j'étais un garçon manqué.

D'après elle, une fille ne joue pas aux mêmes jeux que les garçons. Les filles doivent rester sages et propres. Les filles comme ci, les filles comme ça... gne... gne... Ah! je la déteste! Je la dé-tes-te!

Alors, elle ne veut plus te voir jouer avec moi? C'est cela, hein?

Mais avec qui veux-tu que je joue? On s'amuse bien ensemble. Je ne sais pas pourquoi ma tante pense des choses pareilles.

De toute façon, je suis décidée, Filament. Je joue encore avec toi.

Tu es mon ami et j'irai me cacher chez toi si quelqu'un veut m'empêcher de m'amuser comme je l'entends.

Ok! Je te cacherai dans le grand coffre de ma chambre. Je le viderai et tu pourras y rester aussi longtemps que tu voudras.

Je t'apporterai des biscuits et du lait de temps en temps. Penses-tu que ta tante te cherchera?
Sûrement!

Qu'est-ce que je lui répondrai si elle me demande où tu es?

Tu prendras ton air le plus sérieux et tu lui diras que... que je dois sûrement jouer avec des filles.

Je joue au hockey

Comme je suis contente !
Mes parents ont dit : "Oui!"
Tu ne sais pas pourquoi ?
Moi, j'adore le hockey.
J'ai toujours voulu jouer au hockey.
Mais des gens me disaient :
"Voyons Campanule, le hockey
ce n'est pas un sport
pour les petites filles comme toi !"
Je ne comprenais pas pourquoi
des filles ne pouvaient pas
jouer au hockey.

Papa et maman m'ont dit
que je pourrais jouer au hockey
si cela m'intéressait.

Toi, qu'est-ce que tu en penses?

Campanule

Les travaux domestiques

L'ancien temps

La grand-mère de Campanule
est née dans la région des Bois-Francs,
en 1907. Campanule s'intéresse à la façon
dont sa grand-mère vivait
quand elle était jeune.
Elles en parlent justement...

Les maisons

Campanule

Grand-maman, est-ce que ta maison
était construite comme la nôtre?

Grand-mère

Pas tout à fait.
Notre maison était bien bâtie.
Elle était très solide.
Il n'y avait pas de sous-sol.
Le plancher de la cave était de terre.
Souvent, on ajoutait une fournaise à bois
qui reposait sur une base de ciment.
C'était le poêle à bois
qui fournissait la chaleur à la maison
au moyen des grands tuyaux
qui traversaient les pièces.

Les meubles étaient simples, en bois.
Les lits étaient en bois sculpté ou en fer.
Il n'y avait pas de matelas.
Les gens couchaient sur des «paillassons»,
genre de grandes poches remplies de paille,
de feuilles de maïs ou de plume.

Campanule

Est-ce qu'il y avait de l'électricité,
dans ton temps?

Grand-mère

Il n'y avait pas d'électricité, du moins,
pas chez mes parents.
L'électricité a été installée chez moi
vers les années 1920-1925.

Nos maisons étaient éclairées
par des lampes à l'huile.
Certaines étaient fixées au mur,
d'autres étaient posées sur une table
ou sur une commode. Plus tard,
nous en avons suspendu à une chaîne,
au plafond.

Campanule

Avais-tu de l'eau courante dans ta maison?

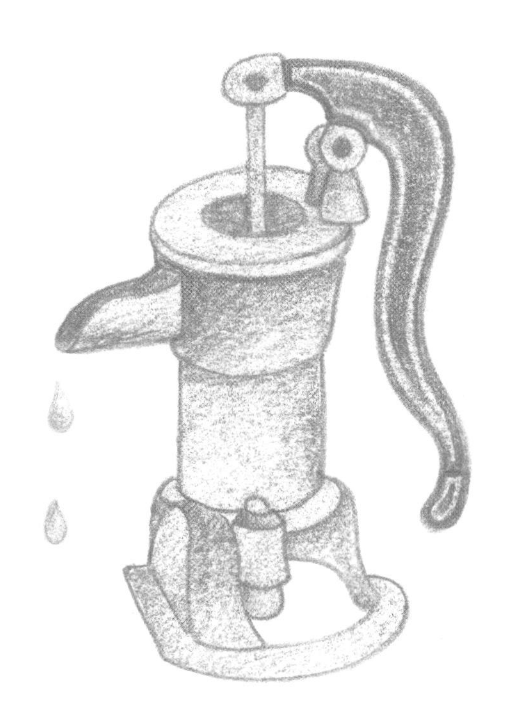

Grand-mère

Lorsque j'avais ton âge,
nous n'avions qu'une pompe à eau.
Et pour avoir de l'eau chaude,
il fallait la chauffer dans une bouilloire
qui demeurait en permanence sur le poêle.
Un peu plus tard,
l'eau fut chauffée dans un réservoir
fixé au poêle. Imagine tout le travail
que supposait la lessive...

Campanule

Tu devais chauffer au bois, j'imagine?

Grand-mère

Oui, ma petite! Nous chauffions au bois.
Aujourd'hui, des gens trouvent cela agréable
de chauffer au bois.
Mais, dans mon temps, quelle corvée!

Il fallait aller bûcher le bois,
le couper en billots puis en bûches,
fendre les bûches,
empiler ces bûches pour les faire sécher,
les transporter dans la boîte à bois.
Il fallait enlever les cendres,
se lever au petit matin
pour rallumer le poêle qui, bien souvent,
s'était éteint durant la nuit.
Ah! vive l'électricité...

La nourriture

Campanule

Qu'est-ce que tu mangeais,
quand tu étais petite?

Grand-mère

Tout le monde cultivait son jardin potager.
Un très grand jardin potager.
Il y avait suffisamment de légumes
pour toute la famille
et même pour en vendre.

La saucisse que faisait maman
était sans contredit la meilleure.
Et aussi son boudin!
Nous n'achetions pas, comme aujourd'hui,
de la graisse à l'épicerie. Non!
Nous prenions le gras des animaux
que nous abattions
et nous le faisions fondre.
Nous barrattions notre beurre et,
cela va te surprendre, mais nous faisions même
notre propre crème glacée avec une sorbetière.

Campanule

Et pour les autres aliments?
Où vous les procuriez-vous?

Grand-mère

Ah! bien, il y avait le magasin général
qui nous fournissait à peu près tout,
à partir des boutons de culottes,
jusqu'aux allumettes,
en passant par la farine et la lingerie.

Campanule

Si tu n'avais pas l'électricité,
que faisais-tu pour conserver
la nourriture périssable?

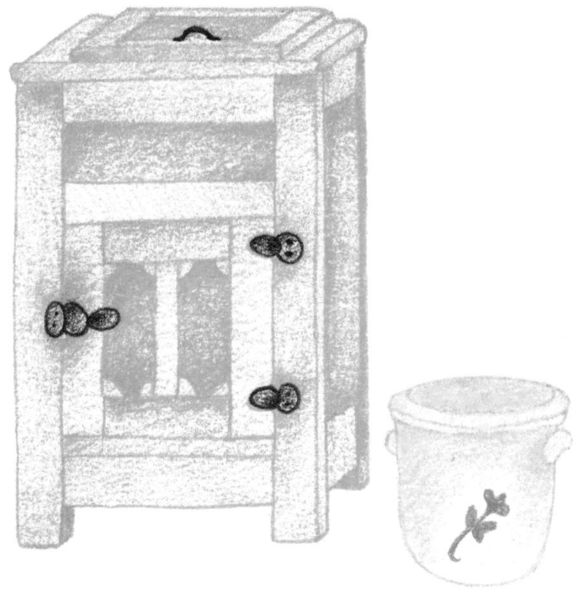

Grand-mère

Les aliments étaient conservés
dans des glacières.
C'était une sorte d'armoire
dans laquelle nous placions de la glace
pour tenir la nourriture au froid.
Notre glacière n'était pas grande.
Aussi, il nous fallait acheter de la glace
très souvent et en petite quantité.
Cette glace était sciée sur les rivières,
l'hiver, puis enfouie dans de la sciure de bois.
Ainsi, elle demeurait solide tout l'été.

Campanule

Tu faisais sûrement des conserves aussi?

Grand-mère

Oh! bien sûr! Nous faisions des conserves
de toutes sortes: des fruits cueillis
dans les champs et dans les bois,
des fruits séchés, des confitures.
L'hiver, nous faisions des conserves de viande,
du bouillon pour la soupe, du boudin,
du poulet, du porc en pots...

Les vêtements

Campanule

Comment t'habillais-tu?
dans ce temps-là?

Grand-mère

Nous portions des bottines lacées
ou boutonnées. Les souliers
sont venus plus tard.
L'hiver, nous portions de longs
bas de laine et des gilets
tricotés à la main.
Tu sais, de la vraie laine de moutons.

Campanule

Est-ce que les gens suivaient la mode?

Grand-mère

Oh! la mode, c'est beaucoup dire.
Avec les nombreuses bouches à nourrir
et la pauvreté, les gens s'habillaient
comme ils le pouvaient.
La plupart des vêtements étaient
confectionnés à la maison: les pantalons,
les chaussettes, les tuques et même
les lourds manteaux d'hiver.
Cependant, certaines personnes
suivaient la «mode».

Lorsque j'étais jeune, maman portait
une jupe qui lui descendait jusqu'aux talons.
Les femmes portaient les cheveux longs.
Puis, les jupes ont raccourci.
C'était vers 1925.
La plupart des grands changements
se sont faits après le guerre de 1914-1918.

5-9

Les loisirs

Campanule

À quoi jouais-tu quand tu étais petite?

Grand-mère

Oh! à des jeux de toutes sortes,
mais toujours construits à la maison.
À partir de bobines vides de fil,
des branches de sureau jusqu'aux boutons,
tout pouvait servir de matériel pour
créer un jeu: jeux de puces, de gueule-de-loup,
de barreaux, de parchési, de cartes, de hasard...

L'hiver, il y avait des courses de «bobsleigh»
et de patins sur les étangs
ou sur les chemins glacés.
Vers 1925, une patinoire est apparue
et les matchs de hockey ont commencé
le samedi après-midi et le dimanche.
C'était très amusant.

Aussi, nous glissions sur des planches
montées sur un simple quartier de bois.
Nous faisions des combats de balles de neige.
Si tu avais vu le grand, l'immense,
l'imprenable fort que nous avons construit!

L'été, nous allions passer l'après-midi
du dimanche au bois. Nous apportions un lunch
et une boisson délicieuse fabriquée à la maison.
Cette délicieuse boisson, c'était tout simplement
un peu de mélasse, de sucre, de vinaigre
et de gingembre, le tout mélangé à de l'eau.
Parfois, il y avait des matchs de base-ball
et des courses de chevaux agrémentaient
nos samedis.

Durant les soirées, nous dansions des gigues
comme tu en vois à la télévision
dans les soirées du temps des Fêtes.
Les hommes, souvent, tiraient au poignet.
Les gens aimaient se rencontrer et jaser
autour d'un damier.

Campanule

Mais les enfants, avec quoi jouaient-ils?

Grand-mère

Pour les enfants, évidemment, il y avait
des poupées. Il y avait des tambours,
des gazous, des flûtes, des toupies...
Il y avait des voitures en bois
qu'il fallait tirer avec une corde.

Campanule

Est-ce qu'il y avait la télévision?

Grand-mère

Oh! Oh! bien sûr que non,
la radio n'est apparue chez moi que vers 1920.
Il n'y avait pas beaucoup de gens
qui possédaient une radio.
C'était très cher. Ils se posaient
des écouteurs sur les oreilles
pour mieux entendre et pour ne pas déranger
ceux qui parlaient dans la maison.

Dans de rares circonstances,
il y avait la projection d'un film
et une troupe de Montréal venait
nous jouer une pièce de théâtre.

Campanule

Grand-maman, est-ce que tu regrettes
cette époque?

Grand-mère

J'aime beaucoup me rappeler cette époque.
Nous avons eu de bons moments,
mais j'aime bien toutes les commodités
que nous offre la vie d'aujourd'hui.

Catalogue 1925

Pour jeunes filles de 7 à 9 ans

Peu cher!

Ce paletot chaud et résistant
a été fait pour notre hiver.
Le collet et les poignets sont
ornés d'une fourrure en lapin.
Pour une fille qui veut être
bien habillée.

Couleurs au choix:
bleu marine
rouge vin
brun pâle

$ 8.79*

Fait pour plaire!

Voici un paletot bien joli.
Il a un collet de fourrure et
des garnitures de soie artificielle.
Il est fait presque entièrement
de laine pure.

Couleurs au choix:
bleu marine
brun pâle

$ 8.98

La petite demoiselle sera bien chaussée avec ces bottines lacées en cuir noir.

Grandeur: 11 ½ à 2 **$ 2.98**

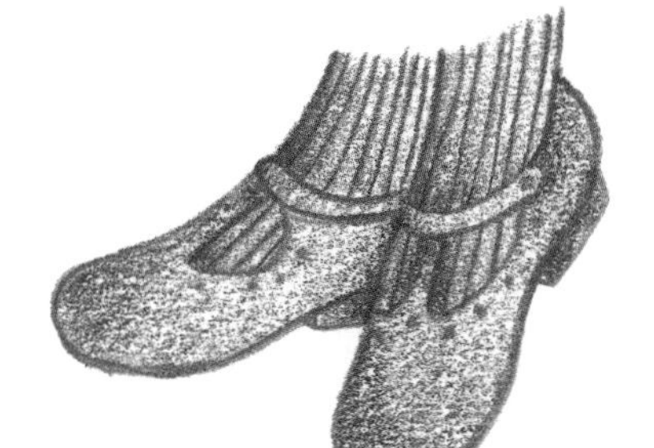

Nouveauté!

Un soulier avec courroie
sur le dessus du pied.

Talon 1 pouce.

Couleur: noir

Grandeur: 11 ½ à 2 **$ 2.49**

* *En 1925, on parlait de «pouce» au lieu de centimètre, de «livre» au lieu de gramme et on notait les prix ainsi: $8.98.*

Très belles poupées!

Annie mesure 16 pouces.
Elle aimerait tant avoir
sa propre maman!
Annie est solide.

Seulement **$ 0.95**

Une poupée qui suce son pouce.
Bras et mains en caoutchouc.
Sa bouche est assez grande pour
recevoir son pouce. Elle ferme
les yeux; elle pleure.
Ses jolis vêtements sont en coton.

Hauteur: 14 pouces **$ 1.79**

Des jeux pour jouer en famille

Parchési
Votre père en jouait quand il était
jeune. Ce jeu comprend une planche
de 18 pouces de côté, un dé,
quatre ensembles de quatre jetons
de couleur.

$ 0.83

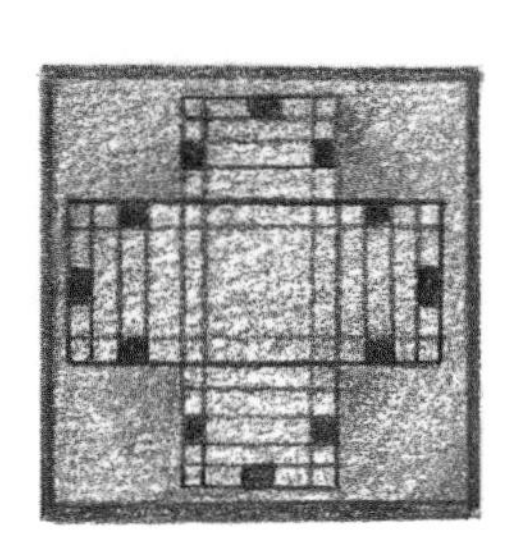

Jeu de puces
Faites sauter les puces dans
le gobelet en verre.
Le jeu comprend 16 petits jetons
et quatre gros.

$ 0.25

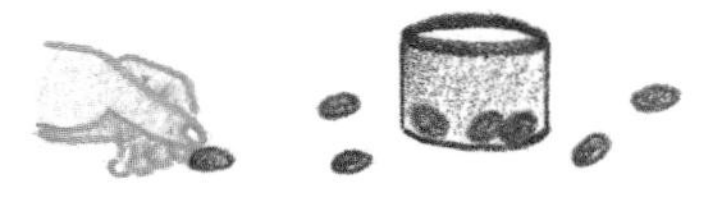

Jeu de peinture à l'eau
Le cahier de 60 pages contient
25 pages avec des dessins
et 35 pages blanches.
La boîte a 8 couleurs et deux godets
pour l'eau.

$ 0.79

Pour les garçons de 7 à 9 ans

Des chemises élégantes
pour la semaine.

Elles sont faites comme
celles des hommes.
Elles ont une poche et
le collet est doublé.

Pour tous les goûts!
La cravate n'est pas comprise.

Couleurs: bleu foncé
kaki

$ 0.59

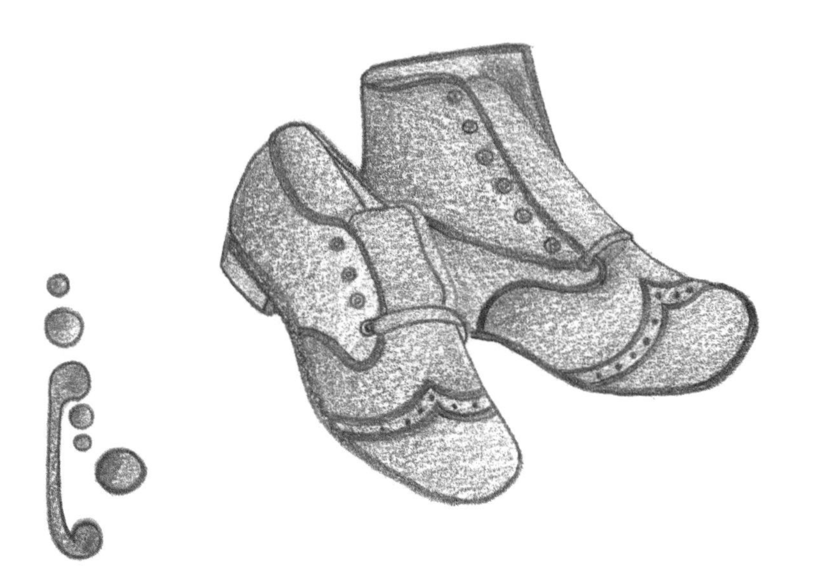

Bonne apparence, confort et économie

Voici des chaussures noires
en cuir de kangourou.
Des tests démontrent que c'est
le cuir le plus dur.
Talon de caoutchouc.

Pour hommes: grandeur 5 à 11

$ 5.95

Pour garçons: grandeur 1 à 4

$ 4.95

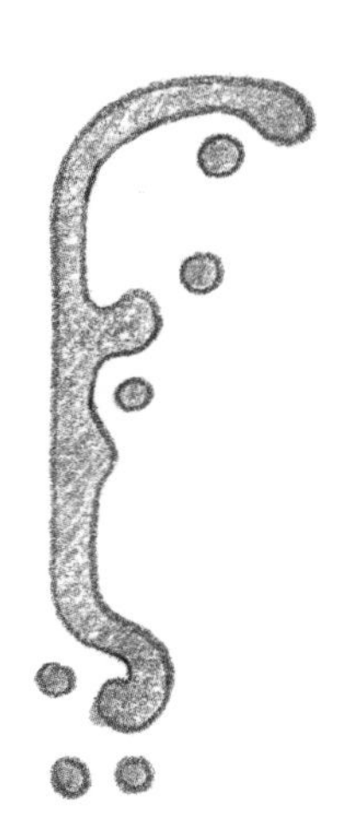

Des jouets qui plairont à tous les enfants

Robustes et de bonne qualité!

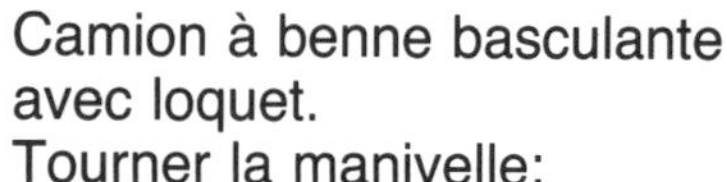

Camion à benne basculante
avec loquet.
Tourner la manivelle:
la benne lèvera et baissera.

Longueur: 25 pouces
Hauteur: 10 pouces
Largeur: 9 pouces

$ 3.98

Pelle mécanique à vapeur.
Elle peut charger un camion.
Comme une vraie!
Fini en émail rouge et noir.
Roues en métal.

Longueur: 25 pouces
Hauteur: 14 pouces

$ 2.39

Un autobus du dernier modèle.
Précis dans les plus petits détails.
Les portes s'ouvrent. Deux rangées
avec de vrais sièges à l'intérieur.
Les pneus sont une imitation
de «pneus-ballons».
Les enfants peuvent s'asseoir dessus et
le faire rouler.
Très robuste.

Longueur: 30 pouces
Hauteur: 8 pouces
Largeur: 8 pouces

$ 9.98

Voici notre meilleur jouet mécanique.
Il est de métal peint en couleurs
claires. Chaque jeu comprend un
tracteur avec un conducteur, une
voiture «quatre roues», un rateau
et une herse avec 7 disques.

Longueur totale: 27 pouces
Le tracteur a 8 pouces de long.
Des heures de plaisir!

$ 2.24

Pour les filles de 7 à 9 ans

Bonne qualité!

1. Voici une charmante robe avec un collet, des poignets et des godets. Elle est faite de crèpe de laine de fine qualité. Cette robe est offerte avec des culottes bouffantes de satin.

Deux couleurs, au choix: rouille
vert palmier
$ 5.98

Très bon prix!

2. Cette robe fantaisiste est en coton. La jeune fille aimera les jolis boutons et les garnitures de laine brodées à la main.

Deux couleurs, au choix: vert tendre
bleu ciel
$ 2.59

Tout à fait magnifique!

3. Le style de cette robe est coquet. C'est une coupe princesse enjolivée de deux boucles. Le tissu en jersey de laine est chaud et durable. Les culottes en soie lustrée sont offertes à part.

Deux couleurs au choix: bleu marine
brun pâle
$ 4.98

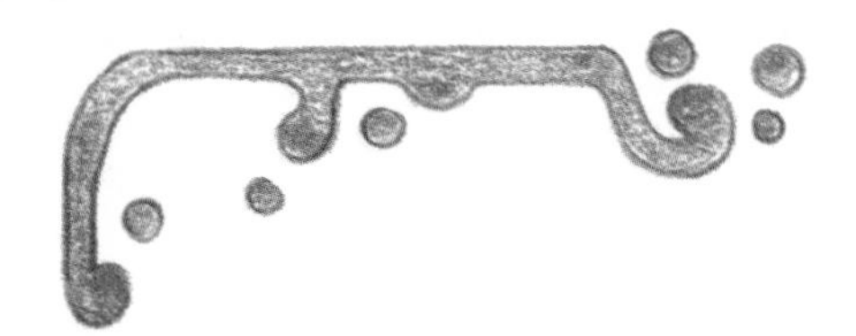

Des habits chics et chauds

À la mode!

1. Cet habit de laine a une coupe à la toute dernière mode. Le veston attache avec trois boutons. Le revers a une ligne «feuille de trèfle».
   Les deux paires de knickers sont une économie supplémentaire.

   Couleur: bleu poudre
   $ 8.65

Pour le jeune homme

2. Il faut regarder cet habit avant de choisir. Le veston croisé et le pantalon avec revers donneront un air sage au jeune homme.
   Le tissu est fait avec une laine de grande qualité.

   Couleur: bleu marine
   $ 12.95

Un manteau chaud

3. Voici un paletot croisé. Il est fait de peau de taupe doublé en mouton. Il est imperméable. Le large collet est de peau de mouton teintée.
   Idéal contre les grands froids.
   Il est offert à un prix incomparable.

   Imperméable
   Couleur: beige
   $ 5.45

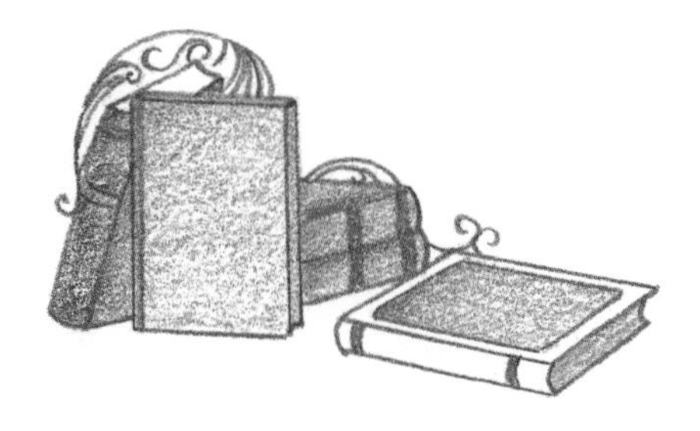

De la lecture

Voici un bon choix de livres.
Ils sont imprimés sur du papier fin
et ont une couverture en couleurs.

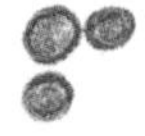

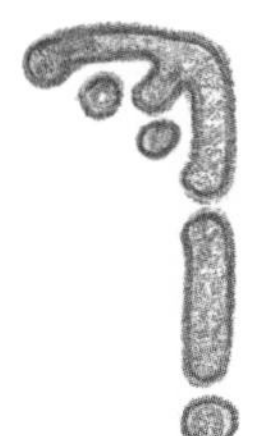

Pinocchio, par G. Collodi

Un petit pantin devient vivant
et fait de merveilleuses expériences.

264 pages **$ 0.48**

Robinson Crusoé, par D. Defoe

Après un naufrage, Robinson se
retrouve sur une île perdue.
Une aventure captivante!

256 pages **$ 0.39**

Heidi, par J. Spyri

Une histoire émouvante d'une enfant
qui vit dans les montagnes de Suisse.

420 pages **$ 0.48**

Articles de sport pour l'année

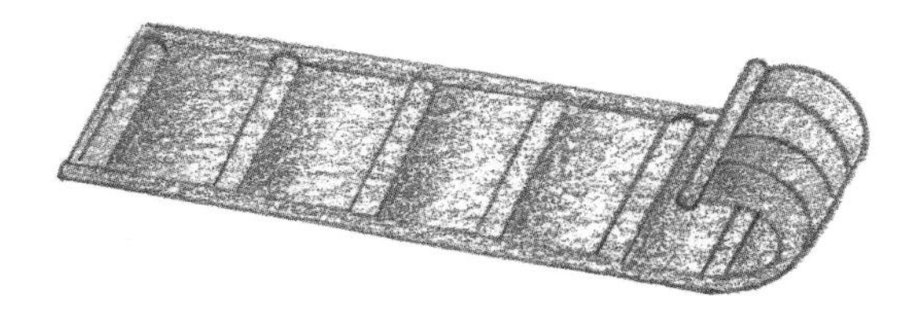

Toboggan fait en érable.
Les lattes des bords et du milieu sont plus épaisses, ajoutant de la vitesse.

Longueur: 5 pieds **$ 5.79**

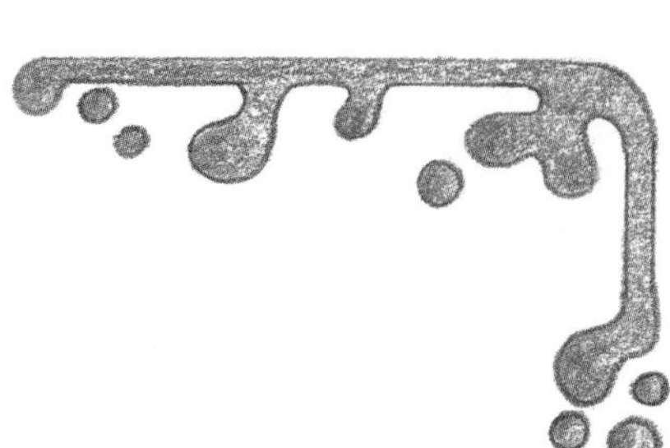

Skis en pin de Norvège de première qualité.
Ils sont enduits de vernis à l'épreuve de l'eau.
Caoutchouc sous le pied.

Pour enfants: 4 pieds **$ 0.79**
5 pieds **$ 1.29**

Patins en acier poli de bonne qualité.
Ils s'adaptent aux couvre-chaussures.

Grandeur: 8 à 11 pouces
Préciser la longueur des chaussures en pouces.

$ 1.05

Fameux patins avec lame en tube.
Pour patinage intérieur ou extérieur.
Très sécuritaires.

(Prix régulier $ 11.00)

$ 8.95

Bâton de hockey
Fait en bouleau de choix.

Pour hommes: **$ 0.70**
Pour enfants: **$ 0.28**

Bâton de ski
Fait en bambou.
Avec pointe de fer.
Rondelle flexible.

Chacun: **$ 0.79**

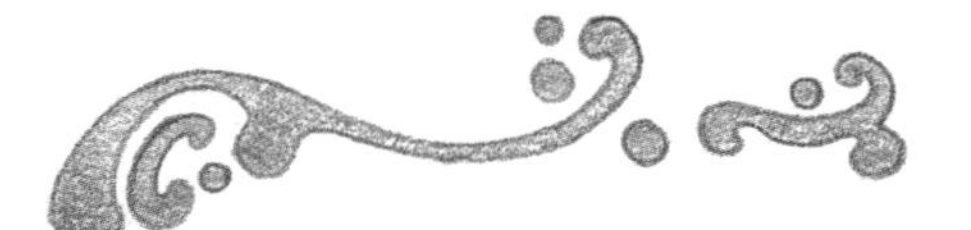

Bonbons pour le temps des fêtes

Ils feront la joie des enfants.

Trente-quatre cerises juteuses
dans une riche crème
enrobées de chocolat à la vanille.

Empaquetage attrayant.

Boîte d'une livre: **$ 0.57**

Sucettes d'essences variées:
cerise, orange, lime, caramel,...

Boîte de 50: **$ 0.39**

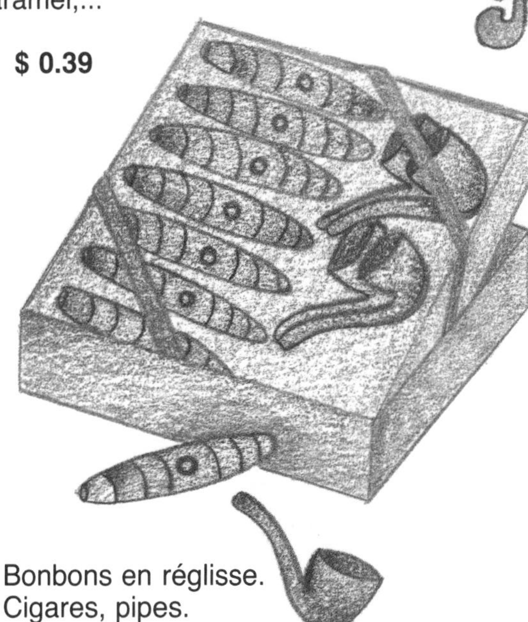

Cigares de chocolat qui sont bien
aimés des enfants.

Boîte de 50: **$ 0.39**

Bonbons en réglisse.
Cigares, pipes.

Tous les enfants aiment la réglisse!

Boîte de 25: **$ 0.21**

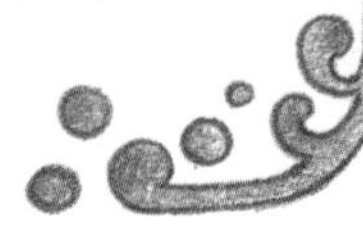

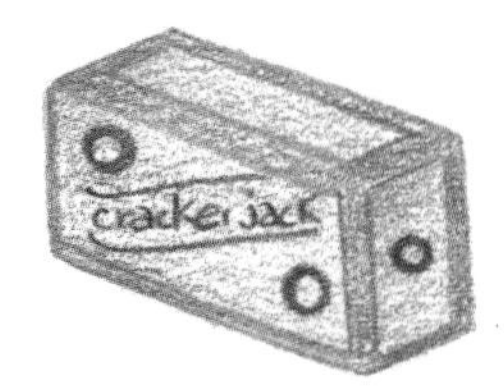

Délicieux maïs éclaté
enrobé de tire savoureuse.

Ensemble de 6 boîtes: **$ 0.25**

Les Fêtes, autrefois et ailleurs

Le grand-père de Filament
est maintenant bien âgé.
Il a parcouru le monde.
Filament profite d'un moment de tranquillité
avec lui pour s'informer sur la façon
dont il vivait le temps des fêtes
quand il était jeune et comment cette période
de réjouissances se vivait ailleurs.

La veille

Filament

Grand-papa, quand tu étais jeune,
la veille de Noël, est-ce que cela
se passait comme aujourd'hui?

Grand-père

Pas tout à fait. Autrefois, fêter Noël,
c'était plus simple.

Les gens se préparaient à cette fête
pendant plusieurs jours.
Il fallait tuer quatre ou cinq volailles,
faire suffisamment de pâtisseries
et de plats pour pouvoir nourrir la famille
et recevoir la parenté:
pâtés à la viande, ragoûts de boulettes,
ragoûts de pattes, tartes, beignets, etc.
La nourriture était conservée
dans la glacière ou dans la pièce froide.

La veille de Noël, mes parents mettaient
la maison en ordre. Ils préparaient
des vêtements chauds pour la messe de minuit.
Dans les maisons, les pièces principales
étaient décorées avec des guirlandes
de toutes les couleurs.
Les guirlandes les plus belles,
étaient faites de maïs éclaté,
coloré et enfilé.

Nous nous couchions tôt pour ne pas être
fatigués. Il fallait se lever dans la nuit
pour aller à la «messe de minuit»
à l'église du village.

Nous nous rendions à l'église en traîneau
tiré par des chevaux.
Les clochettes des attelages sonnaient
et ajoutaient à la joie de la fête.
Tous ceux qui pouvaient s'y rendre y allaient.
La cérémonie était égayée
par les chants traditionnels
qu'on fredonnait encore longtemps après Noël.

Parfois, même, un violon se joignait à l'orgue.

Au retour, c'était la grande surprise:
nos bas de laine, accrochés près du poêle
étaient pleins de noix, de fruits
et de bonbons. Ah!, je me souviens,
nous prenions toujours un grand bas
qui couvrait presque toute la jambe.
Il pouvait en contenir plus, tu comprends!

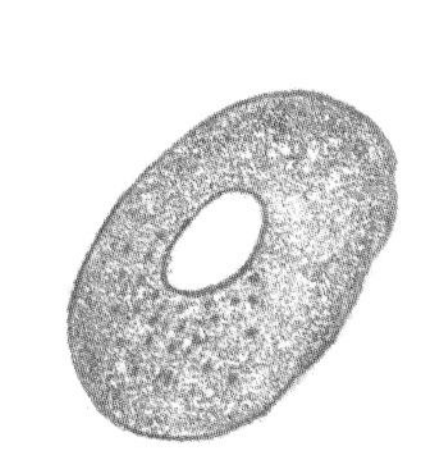

Il y avait de la joie, des rires
et des «gros becs».
Ensuite, toute la famille prenait un repas,
le réveillon de Noël:
des «fèves au lard» ou des cretons,
des galettes, des beignets
et bien sûr, la dinde.
Imagine, un repas au beau milieu de la nuit!

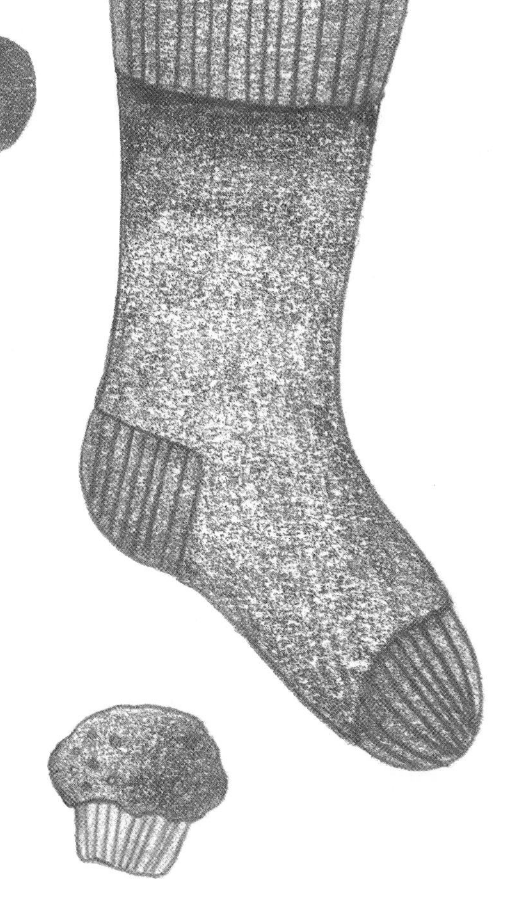
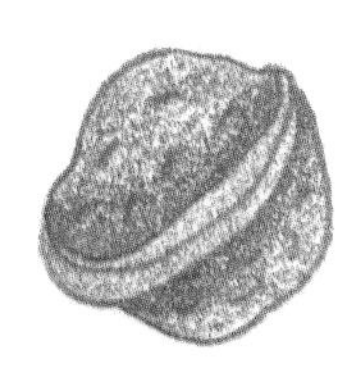

Filament

C'est encore comme cela que nous fêtons Noël!

Grand-père

Peut-être, mais vois comme les gens courent,
se hâtent, sont tendus.
Ces jours-ci, observe les gens qui magasinent
pour acheter les cadeaux de Noël.
Ont-ils l'air joyeux? Ont-ils l'air détendu?
Pour nous, le temps des Fêtes,
c'était une période de retrouvailles
et de joie.

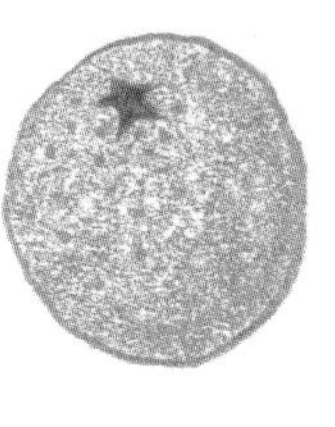

5-25

Le temps des fêtes

Filament

Et durant la journée de Noël,
que se passait-il?

Grand-père

La journée même de Noël,
c'était une belle fête de famille.
Nous chantions et nous échangions des cadeaux.

Au repas du soir, c'était l'occasion
de rencontrer la parenté.
Plusieurs venaient de très loin.
Pour voyager, ils se gardaient au chaud
en mettant des pierres chaudes
dans leur voiture et en se couvrant
de couvertures et de fourrures.

Ensuite, la soirée démarrait.
Les chants, les danses, les morceaux
de violon et les histoires se suivaient.
Le «p'tit blanc», la bière faite à la maison
et le café circulaient bon train.
Le temps des Fêtes était commencé.
Nous faisions la tournée des amis,
des parents et même des voisins.
C'était très gai, très agréable.
On nous entendait venir de loin
avec les grelots de la carriole
et notre orchestre fait de plats
à vaisselle et de morceaux de bois.
Ces rencontres duraient jusqu'aux Rois.
Nous avions vraiment beaucoup de plaisir.

Noël, ailleurs

Filament

Dans les autres pays où tu es allé,
le fête de Noël se vivait-elle
de la même façon que par ici?

Grand-père

Une chose est certaine,
c'est que partout, c'est une grande fête.

Au **Danemark**, les gens font cuire une oie
avec une farce faite de pommes et de pruneaux
pour lui donner une saveur vraiment spéciale.
Ils ont aussi le «Julegrod».
C'est un genre de pudding au sucre
et à la cannelle. Ils y cachent une amande.
Celui ou celle qui la trouve,
gagne un petit cochon rose
fait en pâtisserie aux amandes.

En **Italie**, c'est le poisson qui est roi,
le soir de Noël. On sert l'anguille
cuite dans du vin, mais aussi
les célèbres spaghettis.
Le lendemain, la «mamma» sert une bonne soupe
puis, un pot-au-feu de poulet ou de rôti.
Ensuite, on savoure la «mostarda».
C'est un dessert de fruits
en confiture très aromatisés.

En **Suède**, un souper de Noël est inimaginable
sans jambon bouilli puis passé au four.
On déguste aussi de la viande de porc
et de savoureuses saucisses.
Puis, c'est le pain d'épices et les confitures
faites avec beaucoup de soin.

Par tradition, le jour de Noël,
on mange du «lutfik».
C'est de la morue bien préparée
avec une sauce blanche.

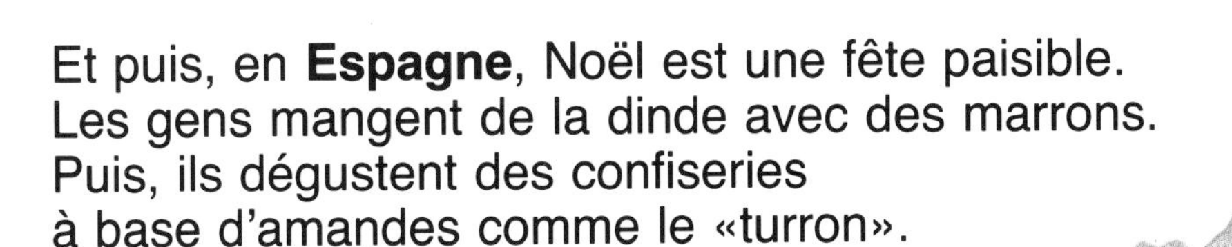

Et puis, en **Espagne**, Noël est une fête paisible.
Les gens mangent de la dinde avec des marrons.
Puis, ils dégustent des confiseries
à base d'amandes comme le «turron».

Filament

Est-ce qu'ils ont des arbres de Noël,
tous ces gens?

Grand-père

L'arbre de Noël, ce n'est pas nous
qui l'avons inventé, tu sais.
Il vient d'Alsace. Il y a près de 800 ans,
des gens présentaient un spectacle
le 26 décembre. Pour ce spectacle,
il leur fallait un arbre vert.
Et, c'est le sapin qui a été choisi
car à cette date de l'année,
il n'y a pas beaucoup de choix...

Leurs voisins, les Allemands, ont adopté
cette coutume. Depuis ce temps, en Allemagne,
on ne peut imaginer un Noël
sans le traditionnel sapin orné.

Il y a 400 ans, un pasteur, Martin Luther,
a décoré un sapin pour rappeler
la naissance de Jésus.
Il trouvait que le sapin,
toujours vert, donne l'image de l'espoir.

Il y a 200 ans, dans notre pays,
un premier arbre de Noël a été décoré.
Devine qui en a eu l'idée?
Eh! oui, un Allemand, le général
Adolf von Riedesel qui était gouverneur
dans la région de Sorel.
C'était le jour de Noël, 1781.

Filament

C'est bien curieux de savoir
que nous faisons des choses aujourd'hui
sans trop savoir pourquoi
ou comment des gens ont commencé à les faire.

Grand-père

C'est comme pour la bûche de Noël.
Tu aimes bien regarder et surtout déguster
une bûche de Noël recouverte d'un glacage
au chocolat. Mais notre bûche de Noël
n'a pas toujours été un gâteau.
Nos ancêtres français avaient une coutume:
le plus jeune ou le plus âgé de la famille, au retour de la messe de minuit,
allumait une grosse bûche dans le foyer.
Cette bûche venait le plus souvent
d'un arbre fruitier, d'un chêne
ou d'un hêtre. Elle devait brûler
pendant trois jours.
Puis, ils jetaient sur le feu
de l'eau bénite.
Les cendres avaient, croyaient-ils,
un pouvoir de guérir.
Ils gardaient aussi un morceau de la bûche
pour allumer celle du prochain Noël.

Dans quelques jours, lorsque tu mangeras
un morceau de la savoureuse bûche de Noël,
tu pourras raconter cette histoire.

Filament

Oh!, c'est bien intéressant,
mais tu m'as donné la faim
avec cette histoire de gâteau.
Viens-tu collationner avec moi?

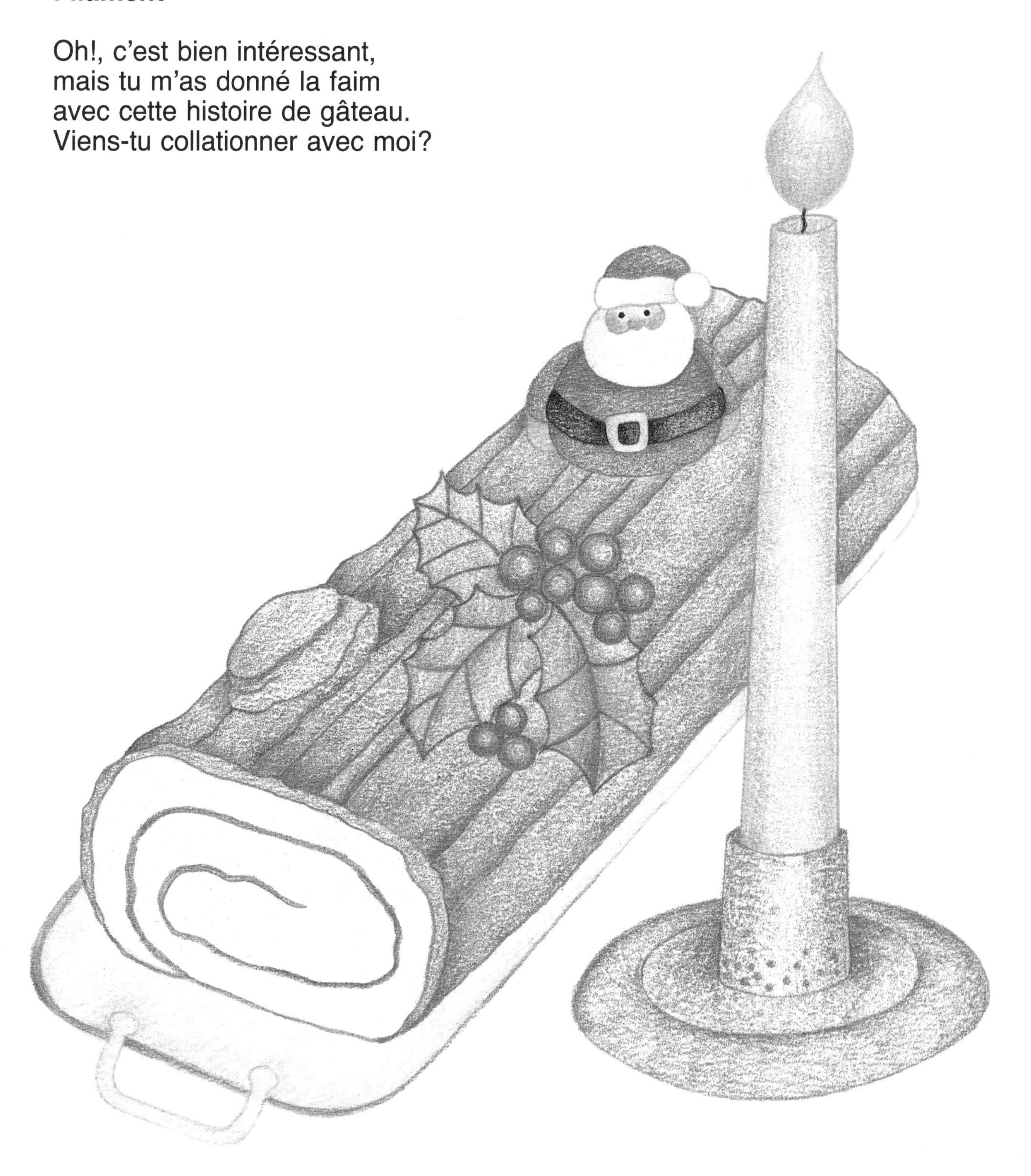

Le chevalier Tristedent et le trésor

Chapitre 1 **Le message secret**

Dans un pays très lointain,
il existait plusieurs royaumes.
Dans le royaume Santé, vivait un roi très bon
et très sage. Ce roi, le roi Bonsoin,
souhaitait ardemment apprendre aux gens
à être en santé. Pour cela, il envoya
le message suivant dans les royaumes voisins:

À tous les princes et à tous les chevaliers!

Celui qui veut se mériter un précieux trésor
doit remporter les trois épreuves suivantes:

1– Il doit comprendre le message secret qui donne le nom des gardes du royaume Santé.
2– Il doit traverser la Forêt des douceurs.
3– Il doit s'emparer du coffret d'or gardé par le monstre invisible.

Après chaque épreuve, le petit génie Dent-Tout
interviendra.

Bonne chance!

Parmi les royaumes voisins,
il y avait le royaume Paresse,
le royaume Sans-Soin et le royaume Abandon.
Plusieurs chevaliers essayèrent de s'emparer
du trésor. Mais ils ne réussissaient même pas
à remporter le première épreuve.

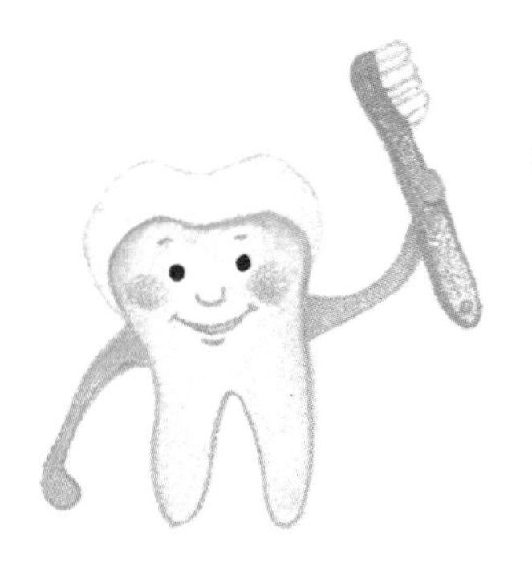

C'est moi, le petit génie Dent-Tout.

Sais-tu pourquoi les chevaliers des royaumes voisins
n'ont pas pu remporter la première épreuve?

Lis la suite de l'histoire et tu comprendras.

Chapitre 2 **Le chevalier Tristedent**

Dans le royaume Boncoeur, vivait Tristedent.
Il avait peut-être quelques petits défauts
(il oubliait de se nettoyer les dents...)
mais, il voulait bien se corriger.
C'était un vaillant chevalier, ce Tristedent.

Je vais remporter les trois épreuves
et c'est moi qui aurai le trésor!
se dit-il.

Il se présenta donc à la porte
du royaume Santé et il y découvrit
un message secret.
C'était la première épreuve.

Message secret

1. **g l a g q g t c**
   Je **a m s n c**
2. **a y l g l c**
   Je peux **b c a f g p c p**
3. **k m j y g p c**
   Je sers à **c a p y q c p**

LETTRE + 2

Tristedent se mit à réfléchir.
Que voulait dire «LETTRE + 2»?

Il examina le premier mot: g l a g q g t c.

Si je prends la **lettre** g et si je la remplace
par la lettre qui est 2 rangs **plus** (+) loin
dans l'ordre alphabétique,
j'obtiens la lettre **i**.

Puis, si je prends la lettre **l**
et que je la remplace par la lettre
qui est **deux** rangs plus loin,
je trouve la lettre **n**.

Il se mit ainsi à changer
toutes les autres lettres du message.
Il trouva le sens du message.
Et là, comme par magie, trois gardes
apparurent près de lui.

Que disait le message secret
que le chevalier Tristedent
devait comprendre?

Peux-tu nommer les trois gardes
qui sont apparus comme par magie
et dire à quoi ils servent?

Pour t'aider à répondre,
je te donne les informations suivantes.

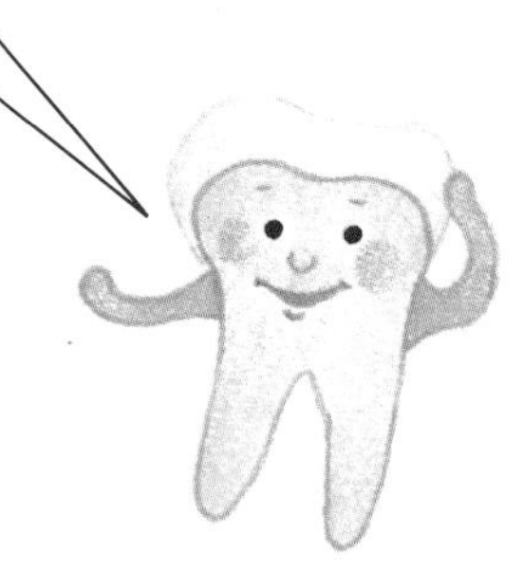

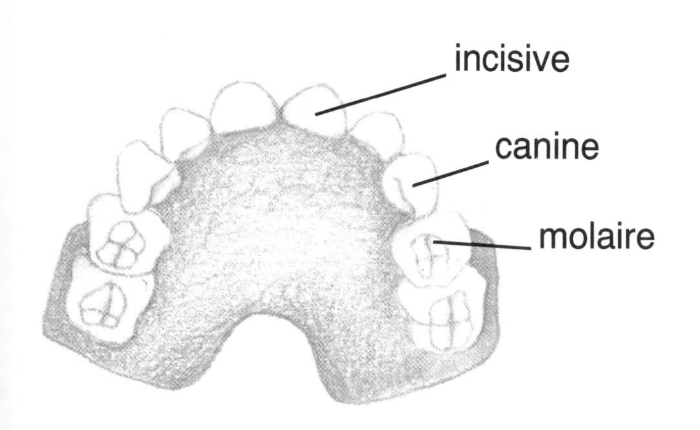

Les gardes du royaume Santé

Les huit dents qui sont placées à l'avant de ta bouche, quatre en haut et quatre en bas, ce sont les **incisives**.
Elles servent à couper les aliments.
Les écureuils et les lapins ont de belles incisives.

Les quatre dents qui se trouvent près des deux coins de la bouche sont pointues.
Il y en a deux en haut et deux en bas.
Voilà quatre **canines**.
Les crocs du chien sont de fortes canines.

Du côté des joues, à l'arrière de la bouche, tu as la famille des **molaires**.
Le dessus de la molaire est large.
Ces dents servent à écraser les aliments.
Les vaches ont de bonnes molaires pour écraser l'herbe qu'elles mangent.

Dents de lait

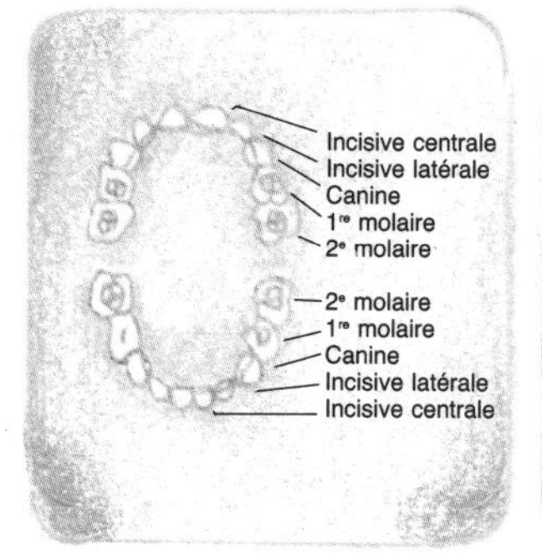

Dents permanentes

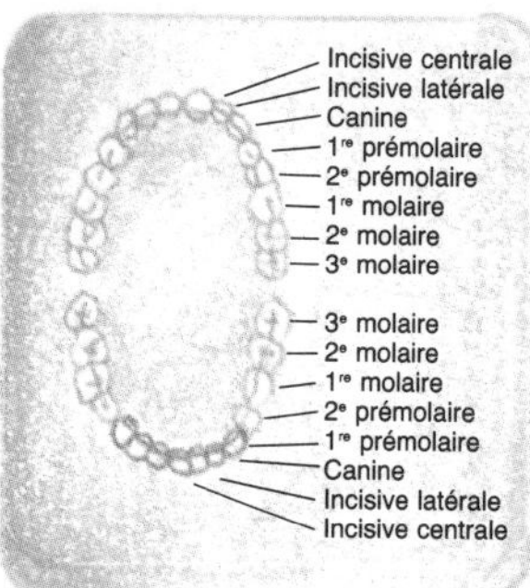

Chapitre 3 **La Forêt des douceurs**

Le chevalier Tristedent se préparait
pour la deuxième épreuve.

Il fallait traverser la Forêt des douceurs.

Ceux qui sortaient de cette forêt
étaient malades. Ils devenaient gros.
Ils avaient perdu leurs dents.
Ils voulaient raconter
ce qui leur était arrivé
mais personne ne les comprenait.

C'est bizarre! se dit Tristedent.
Pour pouvoir m'emparer du trésor,
il faut que sois fort et en forme.
Je dois demeurer vigilant.

Il entra dans la forêt.
D'abord, il n'y avait rien de différent.
Après plusieurs heures,
il s'arrêta pour se reposer.
Surprise! Il aperçut, sur le côté gauche
du sentier, des arbres bien spéciaux.
Ils n'avaient pas de feuilles ni de fruits.
Ils étaient pleins de friandises.
Des bonbons en gelée recouverts de sucre.
Des chocolats aussi.
Des champignons de guimauve poussaient sur le sol.
Il y avait aussi des sources
qui donnaient des boissons sucrées.
Il y avait même un petit volcan
où coulait une rivière de caramel.
Des senteurs douces de fruits
invitaient le chevalier.

Il entendit des voix caressantes:
«Bonbons, chocolats, ... Viens, chevalier!»
Tristedent se dirigea vers ce jardin merveilleux.
Mais les trois gardes l'ont retenu.

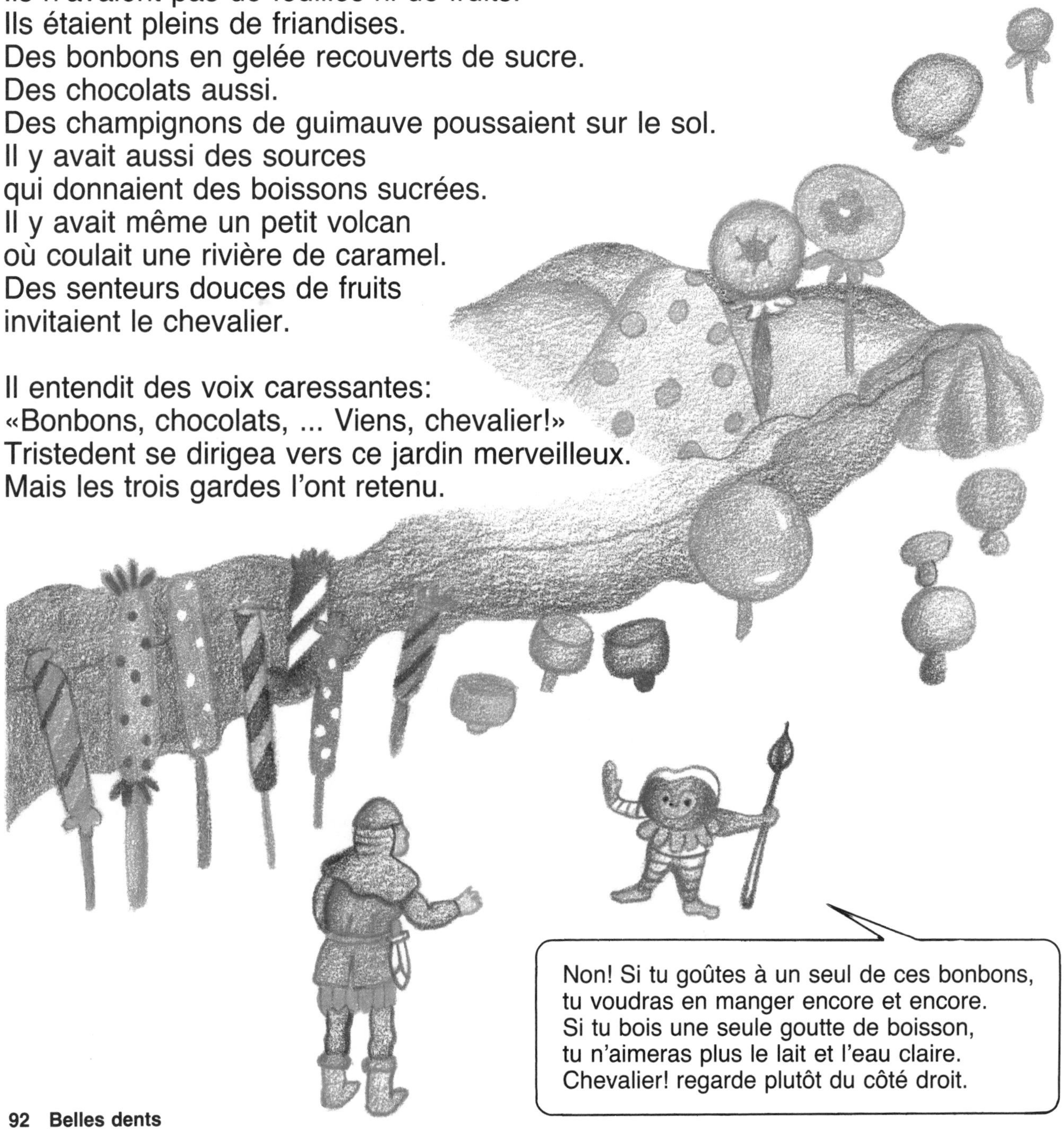

Tristedent se dirigea vers la droite.
C'était un magnifique jardin potager.
Il y avait des légumes de toutes sortes.
Il y avait des arbres remplis
de fruits savoureux.
Une source d'eau pure coulait en jasant.

Un parfum frais d'été flottait dans l'air.
Tristedent pénétra dans le potager.
Il cueillit des légumes
qu'il croqua avec appétit.
Il savoura des fruits juteux.
Il but à la source.
Il se sentit plein de force.

J'ai maintenant de la force pour continuer,
se dit-il.

Il quitta la Forêt des douceurs
pour aller à la recherche du trésor.
Il ne jeta même pas un coup d'oeil
au jardin des gâteries.

Pourquoi ne comprenait-on pas
ceux qui revenaient de la Forêt des douceurs?
Je te l'explique.

L'intérieur d'une dent.

Je te présente ma molaire.
Elle pousse dans la gencive
comme une plante pousse dans la terre.

Ce qui est hors de la gencive,
c'est la couronne de la dent.
La couronne est recouverte d'émail.
L'émail est très dur.
Il protège la dent. Dans la racine de la dent,
il y a une partie molle.
C'est là que la dent est nourrie par le sang.

Ceux qui revenaient de la Forêt des douceurs
étaient gros et malades. Pourquoi?
Parce qu'ils avaient mangé
beaucoup d'aliments sucrés, bien sûr.
Mais, il y a une autre raison.
Parce qu'ils n'avaient plus de dents.

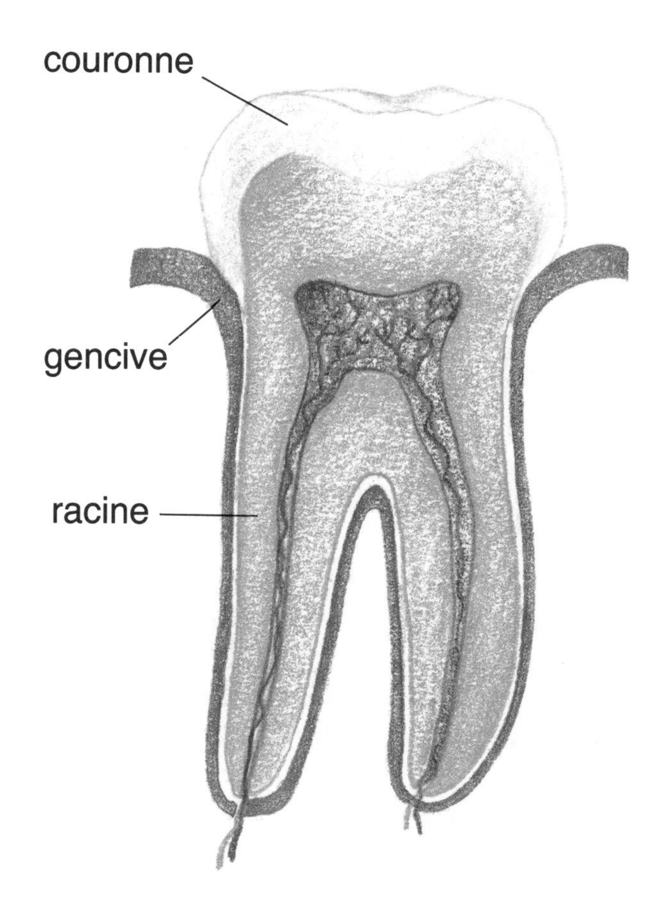

Les aliments sucrés avaient gâté leurs dents.
Les dents sont importantes pour la santé.
Pour être en santé, il faut bien mastiquer les aliments. Les dents brisent les aliments en petits morceaux. L'estomac peut ensuite faire son travail. Si tu ne mastiques pas bien tes aliments, ton estomac a trop de travail et la digestion est plus difficile à faire.
Tu vois, tes dents sont importantes pour ta santé.

Les dents sont aussi importantes pour parler!
Dis les mots: «table, dent, noir, nuit, fenêtre, souvent, sucre.» Redis-les.
Observe comme ta langue touche tes dents.
Observe comme le souffle passe entre tes dents.
Tu le vois, tes dents t'aident à prononcer tes mots.

Maintenant, tu sais pourquoi ceux qui revenaient de la forêt des douceurs étaient malades. Tu sais aussi pourquoi les gens ne les comprenaient pas.

Si tu les avais rencontrés, les aurais-tu trouvés beaux, sans dents?

Chapitre 4 **La dernière épreuve**

Le vaillant chevalier arriva à une clairière.
Le ciel était clair. Il aperçut un objet
qui brillait au milieu de cette clairière.
Il s'approcha à quelques mètres.
Sur une table de bois rond,
il y avait un coffret d'or.
Tristedent descendit de cheval.
Mais il ne put s'approcher.
Il y avait comme une clôture,
un rempart invisible.

Il baissa son protecteur de visage et il fonça.
Il se retrouva par terre, tout étourdi.
Il essaya de tout côté. Peine perdue.

Ha! Ha! Ha! C'est moi, **Plaque**,
le monstre invisible.
Mon amie **Carie** est tout près.
Tu ne peux me battre, car tu ne me vois pas.
Ha! Ha! Ha!

Tristedent se retira près du bois
pour réfléchir.

Il me faut penser à quelque chose
de bien spécial pour détruire Plaque.

Tout à coup, il bondit sur ses pieds.

J'ai une bonne idée!
Incisive, Canine et Molaire! venez m'aider!

Les trois gardes
accompagnaient toujours Tristedent.
Sur ses conseils, ils se mirent à fabriquer
quelque chose à l'aide des branches
et des rameaux d'un arbuste.

Le chevalier, lui, disparut dans la forêt.
Il s'en alla à la source.
Après quelque temps, il revint
avec son casque dans les mains.

— Êtes-vous prêts, les amis?

— Oui, chevalier.

— Eh bien, à l'attaque!

À ces mots, Tristedent lança au monstre
l'eau claire qu'il avait dans son casque.

Les gardes frottèrent, frottèrent, frottèrent
avec l'espèce de brosse qu'ils avaient faite.

Tout à coup, ils entendirent
un grand hurlement:

A a a a a a ah!

Puis, un second:

O o o o o o oh!

Tristedent s'avança.
Le mur invisible était détruit.
La propreté l'avait détruit.
Tristedent s'approcha alors du trésor.

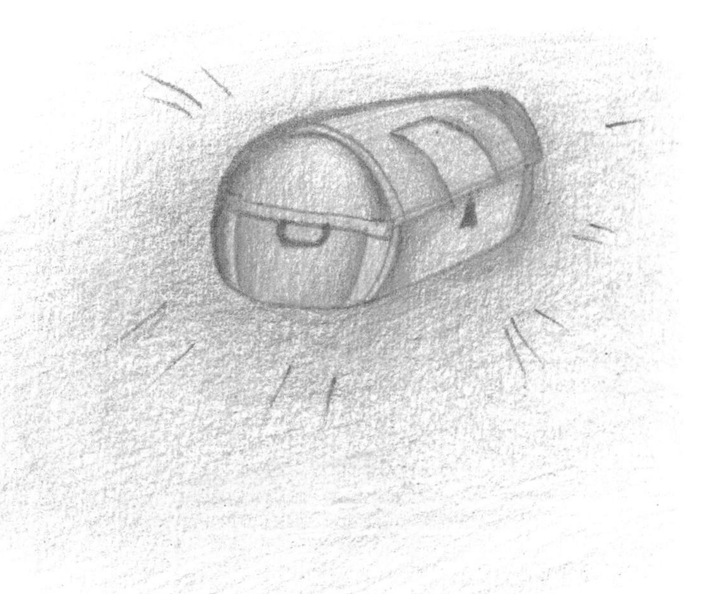

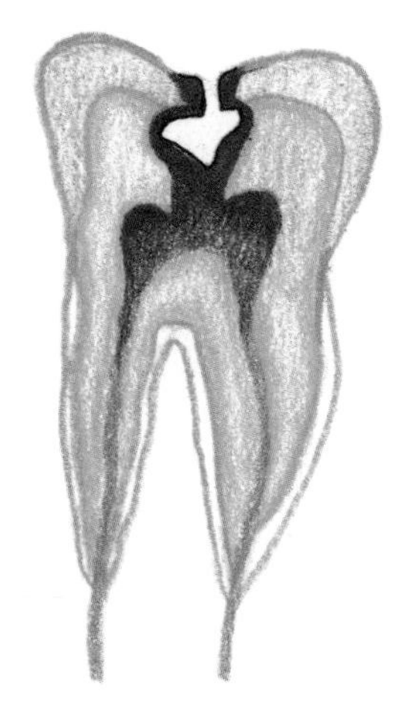

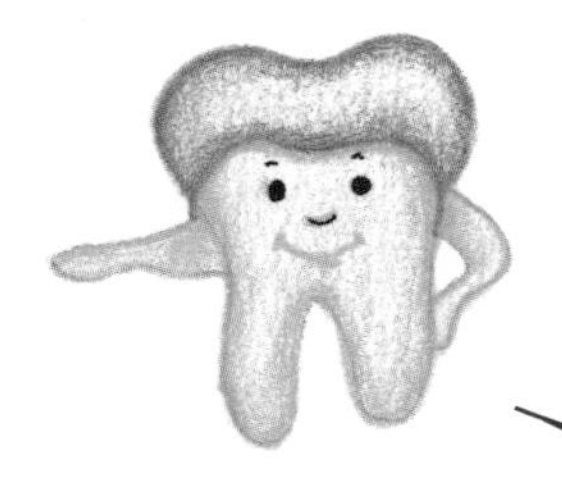

As-tu déjà vu une dent cariée?
Ce n'est pas beau à voir...

Quand tu ne brosses pas tes dents,
voici ce qui arrive. D'abord,
la plaque couvre l'émail. On ne la voit pas.
C'est le monstre invisible. Ensuite,
des millions de microbes attaquent l'émail.
Ils le percent. C'est le gros monstre Carie
qui apparaît. Enfin, si tu le laisses faire,
l'intérieur de la dent sera détruit.
Une dent cariée, c'est une bien triste dent...

Mais, il n'y a pas que la carie
qui peut détruire tes dents.
Tu dois aussi prévenir les accidents et les coups.
Tristedent voulait attaquer le monstre invisible.
Il a eu la bonne idée de baisser
le protecteur facial de son casque de chevalier.

Si tu fais du sport, prends soin
de te protéger quand c'est nécessaire.
Avec un peu de bon sens et de prudence,
tu peux éviter des accidents.

Ne pousse pas un copain ou une copine
qui boit à la fontaine.
Garde une bonne distance du frappeur au base-ball.
Ne te sers pas de tes dents pour ouvrir un canif
ou une bouteille,
ou bien pour aiguiser ton crayon.

Chapitre 5 **Le trésor**

Sur le coffret du trésor, il y avait ce message
gravé dans l'or:

Si tu dis les paroles suivantes,
le trésor sera à toi.

«Je m'efforcerai de nettoyer
mes dents quatre fois par jour,
après les repas et avant le coucher.

Je veux être prince
du Royaume de Santé!»

Tristedent prononça les paroles.
Le coffret s'ouvrit comme par magie.
Il y avait une petite brosse,
un rouleau de fil de soie et un petit pot.
Sur le tube, il était écrit:

Pâte fluorée

C'est pour toi! dirent les trois gardes.
Puis, ils disparurent. Tristedent comprit.
Il s'empressa d'aller à la source et
il se nettoya les dents. Il vit ses dents
resplendir dans le miroir de l'eau.
Bientôt, le roi et la reine arrivèrent.

Aujourd'hui, c'est un grand jour!
s'écria le roi. Le chevalier sourit et
tous le trouvèrent charmant et vaillant.

Le roi lui dit, en lui mettant
la main sur l'épaule:
Tu seras maintenant le **prince Joliedent**.

Il y eut une grande fête
au Royaume de la Santé.
Tristedent, oh! pardon, Joliedent
avait remporté une grande victoire.
Il avait maintenant de jolies dents.

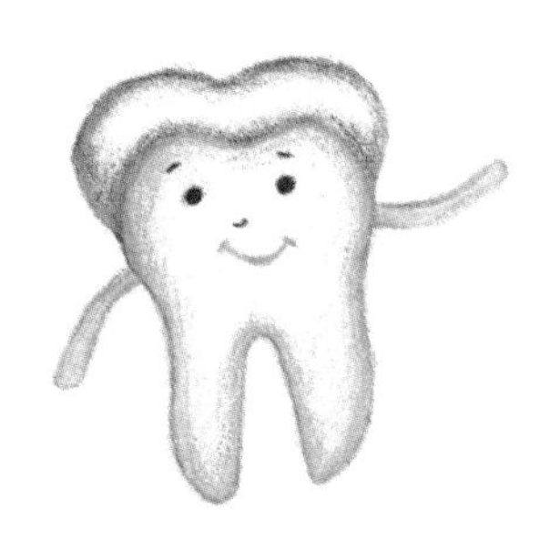

Ah! quelle histoire!

Joliedent a gagné du dentifrice au fluor,
une brosse à dents et de la soie dentaire.

Il a retrouvé de belles dents.

Toi, soignes-tu tes dents? Tu sais comment les brosser?
Tu les brosses dans le sens où les dents poussent,
comme si tu voulais les aider à mieux pousser.
Le fluor rend les dents plus dures.
Elles résisteront mieux à l'attaque
des petits monstres si elles sont fluorées.
La soie dentaire, utilise-la tous les soirs
avant le brossage du coucher.
Et fais de beaux rêves!
(...pas nécessaire de rêver que tu es chevalier...)

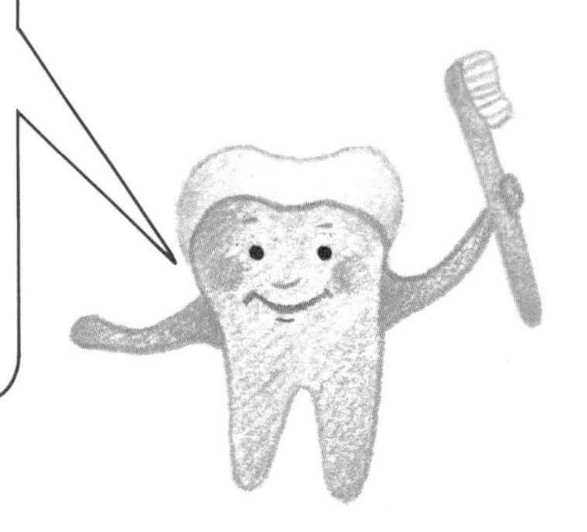

Je brosse mes dents

De haut
en bas

En dedans

De bas
en haut